ニッポンのうたの

♪夢織り人《ドリーム・ウィーヴァー》たち

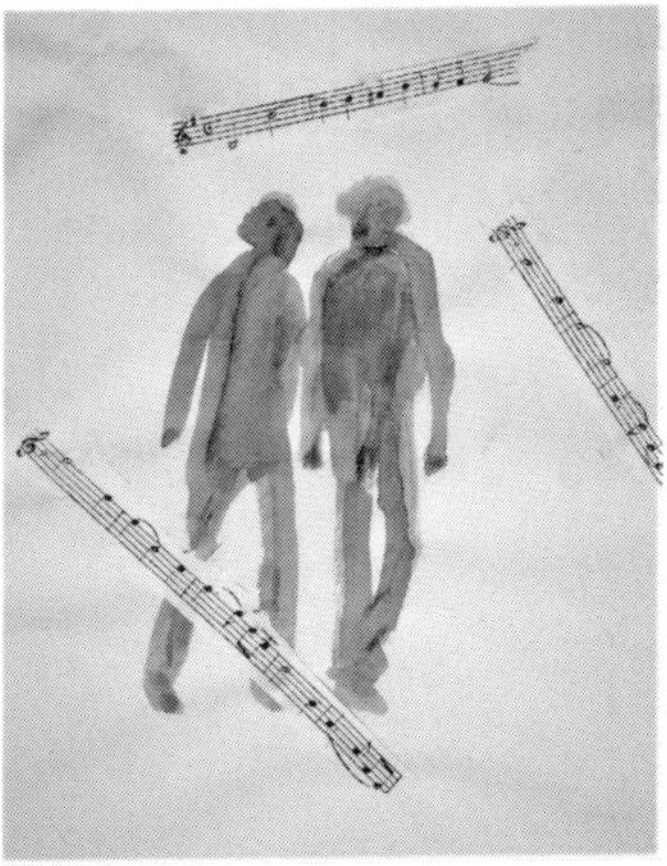

飯塚恒雄

鳥のように翼をひらいて　飛んで行きたい
ぼくが　はなれられない絆から逃れて
あそこへ　あの時代へ
今も　黄金色に輝いている　あの時代へ
(Hermann Hesse ／「Einst vor tausend Jahren」)

目次

ぷろろーぐ

♪ＳＰ時代の昭和ロマン／丸の内・日比谷界隈

千代田区内幸町の交差点あたりを通るとＳＰレコードの時代がうかんでくる。日比谷公園の景色にとけこんだ「日比谷公会堂」と「市政会館」が、いまでも昭和初期の姿のままで建っているからだろう。

ほの青き銀色の空気に、
そことなく噴水の水はしたたり、

薄明ややしばしさまかへぬほど、
ふくらなる羽毛頚巻《ボア》のいろなやましく女ゆきかう

（北原白秋「公園の薄暮」）

白秋がこの詩を書いた明治後期の日比谷公園は初の洋式公園で、都心のイメージを一変させる出来事だった。

昭和四年から八年まで、「市政会館（市政調査会会館）」の一、二階に日本コロムビアのスタジオと文芸部（レコード制作部門）があった。

明治大学を卒業したばかりの古賀政男も、福島から上京したばかりの古関裕而も、ドキドキしながらレコード会社のドアを開けたのは、コロムビアの「市政会館」の時代だった。

今も昔も、ここから少し足をのばせば〈丸の内〉に出る。

ジョサイア・コンドル（イギリス人建築家）が、丸の内に三菱一号館を完成させたのは明治二十五年だった。それからはロンドンのロンバード街をイメージした赤レンガの洋館がつぎつぎと建って、「一丁《いっちょう》ロンドン」と言われた。

今でもキャッチフレーズの文化史にのこる名コピー「今日は帝劇、明日は三越」のとおり、ルネサンス風の「帝国劇場」も建設された。

そして日本のポップスの草分けになる「カチューシャの唄」も、この劇場の芸術座公演『復活』から生まれている。

◆

「二丁ロンドン」の中の三菱三号館に、昭和二年から七年まで日本ビクターの文芸部とスタジオがあった。

「なにぶんにも、にわかづくりの吹込所であったから、防音装置も何もなく、吹込みは、外からの雑音をさけて、静かな時間に行なわなければならなかった。ところが、困ったことに、夕方になると、決まって、豆腐屋の売り声とチャルメラの音が聞えてくる。そこで、豆腐屋に十丁分くらいの金（約五十銭）を渡して退散させ、吹込みを始めると、また別の豆腐屋がやってくる。」（『日本ビクター50年史』）

そのころはまだ、〈一丁ロンドン〉にふさわしくない、こんな光景もあったが、当時の日本ビクターが、東京市の一等地にあったことはまちがいない。

昭和のレコード産業を代表する二つのレコード会社が丸の内、日比谷界隈にあったことは、レコード・マンたちの誇りでもあったとおもう。

コロムビアの市政会館ビル時代は、わずか四年にも満たない。

それからは、どういうわけか同じ内幸町の東拓ビル〈東洋拓殖ビル〉に、文芸部もスタジオもまるごと引っ越した。

「どういうわけか」といったのは、このビルは戦後「第二大蔵ビル」と改名したとおり、国税局と公正取引委員会が入っていた。あきらかな官有ビルの一階をナンパなレコード会社が占有して、第二次世界大戦をはさんで三十年以上も居すわっていた。

日本ビクターはスタジオもプレス工場も戦禍で焼失した。終戦直後はライバルのコロムビアの好意で、東拓ビルのスタジオを借りてレコーディングしていた。

それだけに、このビルは本書の関わったさまざまヒット曲の裏舞台にもなっている。

いかにも武骨で、頑丈だけがとりえの四角いビルは、関東大震災にも、東京大空襲にも耐えている。

正面玄関の目の前にジャバラ式のエレベーターのドアがあって、音楽とは別世界の人たちをのんびりと五階まではこんでいた。

薄暗いB1には、レストランとか洋品店とか床屋などがあった。

とうぜん異端の一社が占有していたわけではないが、専属作家、ミュージシャン、コロムビアのスタッフが、ここで散髪し、レストランで仕事の延長の酒のつきあいなどしていた。

♬

西條八十のエッセイに終戦直後の東拓ビルB1の床屋《とこや》の話がでてくる。

「このビルには日本コロムビア蓄音機会社の文芸部があるので、自然ぼくは栄さんにあたまの世話になっていたわけだ。この栄さんが月に何回か、赤坂のアメリカ大使館へ仕事に行く。グルー大使の調髪をやるのだ。ぼくが愛用煙草で悩んでいるのを見かねた栄さんは、ある日、仕事のあと、思い切ってグルー大使にこう言った。

『あの恐れ入りますが、わたしは、チップよりもあなたが吸っていらっしゃるその煙草をいただきたいのですが』

一瞬、妙な顔をした大使は、その日、栄さんの希望の紙箱を二つくれた。これに味をしめた栄さんは、以降、大使のところに行くたびに、きまって、新しいチェスターフィールドの紙箱を二つずつもらって来ては、ぼくに供給してくれるのだった。ところがあるとき、グルー大使は、ふと不審を感じたらしく、栄さんに、

『君はほんとうにこの煙草を自分ですうのか。だれかにやるのではないか』

ときいたそうである。そこで、正直な栄さんは頭をかいてその希望の主がぼくであることをありていに白状してしまった。するとにっこり笑った大使は、以降煙草を渡すたびにやさしく、

『これを日本の詩人に』

とつけくわえたそうである。」（『わが歌と愛の記』）

今なって思いだせば、そんなB1の店にも、ラジオがついた古い音響装置があって、昭和の歌がながれていた。

その中には、このビルから生まれた、歌謡史の一部も聴こえていた。

東洋拓殖ビル

I.「ニッポンのうた」の夜明け

『復活』唱歌「カチューシャの唄」

❐ 抱月・島村滝太郎と漱石のロンドン

日本のポップスの開花期は、「明治という国家」の成立よりも、はるかにおくれていた。

司馬遼太郎は明治人と明治国家を、ため息がでるようなエネルギーで語りつづけた。

「どう見ても〝明治国家〟とはべつの国、べつの民族だったのではないか」

と、司馬さんはいう。

それでも、そうした奇蹟をなしとげた明治人とは〈明治生まれの人たち〉を意味していない。

「〈幕末の人や明治人が作った国家〉を昭和（元年から二十年までに）が、こなごなにたたきつぶした」

それが〈明治生まれの人たち〉だった。

「長い鎖国で孤立していたはずの日本が、アジアの中で唯一、欧米文化を執拗に吸収していったこと。その異常なまでの好奇心とは対照的に、西欧列強に侵略され、蹂躙《じゅうりん》されたはずの中国とインドが、いかに西洋文化に無関心だったか」（『日本人の西洋発見』）

ドナルド・キーンのいう、明治人の「異常なまでの好奇心」は、何人かの〈明治生まれの人たち〉に受けつがれていた。日本のポップス史は、そうした人たちを、さけては通れない。

なかでも、どんよくに20世紀初頭のヨーロッパに学んだ海外留学生、島村滝太郎を追うことからはじめなければならない。

明治の英国留学生といえば、だれもが若き日の漱石・夏目金之助の姿をおもいだすが、おなじころ、おなじロンドンに日本のポップスに大きな影響をあたえた、もうひとりの文学者がいた。

抱月・島村滝太郎（✍1）は、東京専門学校（現・早稲田大学の前身）の海外留学生として、明治三十五年（１９０２）五月七日、ロンドンに着いた。

三十二歳の滝太郎が日本郵船の讃岐丸でロンドンにむかった日、横浜埠頭まで見送りにきた三十人ちかい文壇人、ジャーナリストの姿があった。

対照的に、熊本県第五高等学校の英語教師から、とつぜん文部省の国費留学生になった夏目金之助（三十四歳）は、文壇ではまったくの無名だった。明治三十三年（１９００）十月にイギリスにわたり、神経衰弱になやまされながら約二年間ロンドンにいた。

倫敦《ロンドン》ノ町ヲ散歩シテ　試《こころ》ミニ痰《たん》ヲ吐《は》キテ見ヨ　真黒ナル塊《かたま》リノ出ルニ驚クベシ

（漱石の『日記』1901・1・4）

ふたりは何か月か、おなじロンドンの煤煙だらけの空気をすっていたことになる。

当時のロンドンは家庭の暖房に石炭ストーブを使っていたので、ロマンチックなはずのロンドンの霧が、スモッグになったりした。

抱月がロンドンについたころの漱石は、個人教授をうけた「クレイグ先生」の部屋に通うこともなくなり、洋書を積み上げた下宿で読書とノートをとる生活がつづいていた。ロンドンでつき合いのあった、何人かの日本人が、漱石の異常をみとめた。そのなかの誰かが「夏目金之助狂セリ」の電文を文部省におくって、帰国命令がでることになる。

「書をかつてしまうから金と便利と遠慮がハチ合わせして頗《すこぶ》る謹直《きんちょく》である」

（1901-1-3 藤代禎輔宛）

「倫敦では日本人が大分居るが少しも交際しない　会杯《など》へもでたことがない」

（1902-3-18 鏡子夫人宛）

この二つの手紙からも島村滝太郎と対照的な、根をつめた、社交性のない夏目金之助が浮かんでくる。

同じロンドンにいた二人の文学者は、とうとう一度も顔をあわせることはなかった。

抱月の留学生活は、おどろくほどアクティヴで、ウエスト・エンドの劇場街に通った観劇は、オペラからミュージカルまで広範囲にわたっている。シェークスピアのような古典劇よりも当時の新劇がほとんどで、メロドラマやミュージカルなど、〈通俗劇〉といわれたものも熱心にみてあるいた。

「一般大衆にとっては、音楽とはオペラのことだった。この姿勢は遠くルイ十四世まで遡る伝統に発している。」（『西洋の音楽と社会　8』）

こんな〈西洋〉の長い音楽的伝統は、抱月の目の前で音をたててくずれはじめていた。古典劇より新劇に興味をもっていた抱月という人は、けしてエリートの出ではない。それだけにこの時代のヨーロッパの変化を、なんの抵抗もなく受け入れている。そのことは、アメリカ黒人一座のミュージカル『イン・ダホメイ』を、さっそくシャフツベリー座にみにいったことでもわかる。

南米から発祥した黒人ダンス、ケークウォーク（✍2）はフランス近代音楽の作曲家ドビュッシーやプーランクにも影響をあたえていた。

抱月が見たロンドンの市民たちは、ケークウォークにも、ラグタイムにも熱狂していた。こんな歴史的なシーンを、明治末期のひとりの文人が体感していたのだ。

東京専門学校の送別会で、抱月は「欧米文明の背景をしっかりと見て帰りたい」とあいさつした。この〈背景〉のなかには、大衆の姿も入っていたのだとおもう。まずしい家に生まれた抱月に貴族趣味はない。そうだとすれば、〈洋行帰り〉を着飾るための文献とか、論理の重視ではなかった。短期間に西欧文明を吸収するとしたら、「なりふりかまわず体感することだ」。そうしたひたむきさが抱月にあったのだとおもう。

抱月が普通の留学生とちがうところは、〈観客席〉から眺めているだけではなかったことだ。

シェークスピア学者として名高いA・C・ブラッドリー（Bradley, Andrew Cecil　1851～1953）を訪ねていったり、『ベニスの商人』を観たあとで、当時のイギリスを代表するシェークスピア役者、ヘンリー・アーヴィング（Irving, Sir Henry 1838～1905）の楽屋までおしかけたりしている。

こうした行動力と観劇記録からも、まるで臆することなくヨーロッパの大都市を歩いている日本人が見えてくる。

『抱月のベル・エポック』（岩佐壮四郎著）はロンドン、ベルリンの〈抱月の日記〉から、たんねんに観劇回数を拾いあげている。

抱月の〈観劇リスト〉によるとロンドンでは百三十回を超え、ベルリンでも五十九回という、おどろくべき数字になっている。

ぼくはこうした抱月の対極に、どうしても〈ロンドンの漱石〉を思いうかべてしまう。

♤

これほど行動的な抱月の英語力を計《はか》る、たしかな資料をもたない。

しかし、夏目金之助が抱月に倍する英会話力があったとしても、こんな猛進型の行動はとらなかったと思う。

ロンドンのふたりに、生活費の多いとか少ないの影響があったとはおもえない。

国費留学生・漱石への支給額は年間千八百円で、ロンドンの生活費が高かったとしても非常識な額ではない。

どこで読んだのか忘れてしまったが、山田風太郎は「この時代の巡査の月給は八円で中学教師・漱石の十分の一だった」と書いていた。漱石の松山中学時代の月給八十円はたいへんな高給で、このことを考えても国費留学生の支給額はそれなりの配慮があった。

夏目金之助のロンドンの生活は、つぎのような指摘がとても参考になる。

「漱石山房の蔵書目録はずいぶん立派なものだが、その中の相当部分は彼がロンドン留学中に購入した書籍なのである。どうも留学生・夏目金之助には、昼飯を英国人とともに食べて会話を楽しむなどと言うことよりも、イギリスから書物を沢山買って帰ることの方が重要事であるように思われた」（『夏目漱石　非西洋の苦悩』）

私学の留学生、抱月のふところもけして暖かくはない。漱石よりもはるかに支給額は少なかった。国費留学生は留守宅の妻子の生活費まで気にかけてくれたが、私学ではそうはいかない。

抱月が、漱石との支給額の差をなんとか埋めることができたのは、〈名のある文人〉としてのサイド・ジョブがあったことだ。出発前に特派員契約をしていた新聞、雑誌社に、ロンドン、ベルリンから原稿を送りつづけた抱月は、稿料が入ってきた。

この項の最後になったが、まだ抱月、漱石の対照的な行動と英会話力の関係にこだわる人がいるかもしれない。そんな読者へのわずかなヒントだが、早稲田時代の西條八十は、こんな記憶があった。

「たしかウイリアム・アーチャーというイギリスの演劇批評家が来朝して、早稲田の校庭で学生のために公演を行い、抱月が並び立ってその通訳をしたことがあった。ぼくは初めてこういうものを見たので、すらすらと通訳する抱月の英語力にただ驚嘆して聞いていた」（『我愛の記』）

❐「文芸協会」と松井須磨子

『早稲田文学』が創刊されたのは明治二十四年のことで、島村滝太郎が入学した年だった。入学当時から注目されていたが、卒業論文「審美的意識の性質を論ず」は、開校以来の秀作として、『早稲田文学』に掲載された。

逍遥はこの機関誌を、文学誌に衣替えしようとしていた。この大仕事を島村滝太郎に託すつもりで、卒業後も講師として学校にのこした。

そのご、抱月が海外留学生にえらばれたのも、逍遥の影の力がはたらいていたことは明らかだった。

明治三十八年（1905）、島村抱月は、サウサンプトン港からドイツ船ローン号にのって、三年ぶりに横浜港にかえってきた。

抱月の留守のあいだも、東儀鉄笛、土肥春曙など逍遥の直系の弟子たちが中心になって、「文芸協会」を想定した脚本朗読会をひらいていた。こうしたメンバーが、劇団の創設をいそぐように、なんども逍遥に進言している。

そのたびに、「抱月が帰国するまで待て」だけが返ってきた。

こんな答えからも、あらためて逍遥らしいひとすじな信頼がみえてくる。

抱月が帰国した翌年に、坪内逍遥はようやく「文芸協会」を早稲田大学の文化団体として立ちあげた。

♣

松井須磨子が「文芸協会演劇研究所」に入所したのは、明治四十二年（1909）のことだった。第一期生、二十九名のなかに四名の女性もいた。

そのなかで卒業証書を手にしたのは十五名だが、小林正子（松井須磨子）、三田千枝子（山川浦路）、上山草人、河竹繁俊、佐々木積、などがいた。

逍遥は第一期生の審査のあとで、こんな選評をもらしている。

「三田の方は柄も大きいし、目鼻立ちまで女優に適當して居るが、小林の方は柄も小さいし、三田ほど思わしくない」(「須磨子と私との交渉」伊原青々園、大正年二月号『中央公論』)

逍遥は旗本の家系でもあった三田(山川浦路)の気品をかっていたので、須磨子はひとつ格下にみられていた。研究所の試演では「女中役が多かった」という証言もあって、最初から逍遥ごのみの女優ではなかった。

小林正子(松井須磨子)は研究所に入るまえに二度結婚している。

最初の結婚は十八才のときだった。

長野県松代から上京して、姉夫婦の経営する麻布の菓子舗「風月堂」で店番をしながら、戸板裁縫女学校(演劇評論家・戸板康二の実家)の速成部にかよっていた。そのうち縁談があって、あっさり木更津の割烹旅館の息子と結婚したが、一年で離婚している。

河竹繁俊は「理由ははっきりしないが性病を移されたことは事実らしい」(『逍遥、抱月、須磨子の悲劇』)と書いている。

須磨子は離婚後、姉にひきとられて、三か月入院したのは確かなようで、退院後はさすがに姉夫婦の家はいづらかったのだろう。しばらく知人の部屋を借りていたが、たまたま、この家に東京俳優養成所の講師、前沢誠助が家庭教師としてかよってきた。病みあがりの須磨子はたぶん前沢にやさしくされたのだろうが、あっけなく二度目の結婚をしている。

須磨子は、このころから演劇に興味をもちはじめた。

前沢は俳優養成所で日本史を教えていたので、同じ養成所の主事・桝本清と田中英三に須磨子をあわせている。須磨子を品定めしたふたりは、柄も動作もまるで女工のようで、女優になるには鼻が低いのが難だといってかえってしまった。

前沢はそのあとで須磨子に隆鼻手術をすすめている。

まだ美容整形の初期の時代だったが、ドイツに留学した田中という医学博士が隆鼻のためのパラフィン注入をした。須磨子は握りしめた椅子の背をこわしてしまうほど、激痛にたえなければならなかった。

須磨子がまだ文芸協会に入るまえのことだが、ニッチク（日本蓄音器商会）の森垣二郎も前沢誠助と親交があったので、女優としての素質があるかどうか見てほしいとたのまれた。

森垣が会ったのは、隆鼻手術をうけたあとの須磨子だったが、「麻布の菓子舗風月堂の二階（夫婦は間借りしていた）で逢った」と書いている。

「しとやかで純真な女子と見受けた」は、ごくありふれた新妻の印象だが、文芸協会の研究生になってからの須磨子は、生活態度が一変した。

森垣が前沢からきいた話では、研究所の須磨子の役は女中役ばかりで、家にかえってくると悔し涙をながしながら猛勉強していた。もともと気性の激しい人だったのだろう。大声でセリフの勉強をするので、近所からの苦情がたえなかったという。

そんな、なりふりかまわぬ精進のおかげで、家の中はさんざんだったらしく、家事を一切しない主婦になった。

女優としての将来しか見えなくなった須磨子は、夫も家庭も眼に入らなくなっている。二人の結婚は二年でこわれた。

文芸協会の第一回公演（明治四十四年五月五日）は、新劇がはじめて「帝劇」に進出した

出来事でもあった

プログラムもシェークスピア学者の劇団にふさわしい『ハムレット』で、気品をかわれて山川浦路が王妃ガートルードを演じ、須磨子もオフィーリアの大役をあたえられた。

さまざまな人たちの劇評をあらためて読んでみると、文芸協会の第一回公演はセリフも演技も、まだ〈歌舞伎くささ〉があって、評判がわるかった。

初演の日、夏目漱石が招待されて観劇していた。

幕内係として、舞台の袖から客席をのぞいていた吉田幸次郎は、漱石がおくれて席にすわり、途中で席を立って帰ったのをみていた。

漱石は一ヶ月後に、この証言を裏づけるようなきびしい劇評を書いている。

「あの一週間の公演の間に来た何千かの観客に向つて、自分が舞台の裡に吸収せられる程我を忘れて面白く見物していたかと聞いたら、左様《さよう》と断言し得るものは恐らく一人もなかろうと思ふ。」「坪内博士とハムレット」

漱石が書いていることを、思いきり意訳してしまえば、シェークスピアの面白さが、まるで伝わってこない脚本と会話の古めかしさだった。

帝劇公演からまもなく、文芸協会のふたりの女優の立場が逆転する事件がおきた。伊原青々園は「ある事件」（「須磨子と私との交渉」）としか書いていないが、『ハムレット』大阪公演の宿泊先で、上山草人とレアティーズ役の林 和（後の劇作家）がはげしい口論になった。ふたりは研究所の第一回卒業生だが、どういうわけか『ハムレット』公演では同期生の吉田孝三郎、鼓常良、上山草人の三人に役がつかなかった。

とにかく、この大ゲンカの場をたまたま地元の関係者が見ていたこともあって、この騒ぎが上層部の耳にとどいた。

公演がおわってから、事件を究明する幹部会があって、ことのおこりは上山の上層部批判とキャストへの不満だったこともあって問題が大きくなった。

結果は上山草人、山川浦路が退会処分になった。林 和はおとがめなしで、なぜ浦路が処分の対象になったのかは分からないが、上山と浦路は結婚していたので、夫婦ともども不平分子と見なされたのかもしれない。

上山草人、浦路の退会のあとで、主役の座が須磨子にまわってきた。

明治四十四年（1911）、『早稲田文学』に島村抱月の「人形の家」全訳が発表されて、文学界に大きな反響があった。坪内逍遥はそのまえに原稿をよんで、なんの迷いもなく、次回の文芸協会のプログラムにきめている。

文芸協会の試演場がようやく完成したのはそのころで、三日間の「試演場落成の舞台開き」に「人形の家」二幕が上演された。

日蓄の森垣二郎は数少ない招待客のひとりだったが、このときはじめて主役を演じた松井須磨子をみている。

ノラを演じた須磨子は、

「セリフの活殺、ゼスチュアーの自然、表情の微妙、新劇女優にかつて見なかったすばらしい演技だった」（『レコードと五十年』）

この日、どうしてこの場にいたのか分からないが、退会処分になったはずの女優・山川浦路が森垣と並んだ席でみていたという。

森垣が「なんとすばらしい出来栄えじゃないか」と話しかけると、浦路は「それほどでもないと思うわ」といって、わざとらしいあくびをした。

帝劇の専務・西野恵之助も、この日の試演を見て感動したひとりだった。

その日のうちに「これを帝劇の第二回公演にしてほしい」といいだしたので、十一月の帝劇公演が決まった。

こうして松井須磨子は主演女優として、はじめて大舞台《おおぶたい》に立つことになったが、それからのリハーサルでも、抱月はてっていして、須磨子に自然なセリフを要求している。

帝劇公演の松井須磨子の演技が、演劇界にあたえた衝撃も大きかった。

新派の名女形、花柳正太郎までが「須磨子の舞台を見て、女形になるのが嫌になったことがある」と親しい人にもらしている。

「人形の家」の松井須磨子は、この一作で女優の地位を確立したが、日本の新劇界は初めて女優の演技をみたのだった。

❐早稲田派の結集と「芸術座」の旗揚げ

坪内逍遥の理念のなかには、演劇人の地位を向上させたいという思いがあった。

当時の役者は、中世からの差別をせおった、河原者〈かわらもの〉のイメージがあったので、逍遥は研究生の規律を異常なまでにきびしくした。

研究生の男女が、雨の日に相合い傘でかえっただけで、退会処分になった。

そんなきびしい文芸協会の風土のなかで、いつか抱月と須磨子の関係が逍遥の耳にも届いてきた。

西條八十は、早稲田の学生時代に島村抱月の講義をきいている。抱月と松井須磨子の噂が学生たちにも知れわたっていたので、「月を抱いたは昔のことよ、今じゃ須磨子の腰を抱く」などと、陰でからかう学生も多かった。

「回顧するとぼくらはあの島村抱月の最後の教え子であった。ぼくらが文学史を教わったころの島村抱月は、あたかもあの女優松井須磨子と恋愛の真最中だったらしく、ぼくの記憶している限りでは、講義も支離滅裂で、ときどきノートを読みながら居眠りをしていることさえあった。〈中略〉文学博士坪内逍遙は、当時なお健在で、ぼくらのために、シェークスピアの『御意に召すままに』（✍ As You Like It）などを講じていたが、正直なところ、ぼくにはこの老博士の身ぶり口ぶり、歌舞伎役者そっくりな、いわゆる名講義がたまらなくいやだった。」（『我愛の記』）

八十は、抱月の〈心ここにあらず〉といった講義をうけても、「のっぴきならぬ苦悶」

をかくさない抱月にひかれていた。抱月の「真剣にもがきぬいていたそのふんいき」から文学者を感じ、逍遥の講義を、名物教授のパフォーマンスとみていた学生もいた。

ともかく、文芸協会の幹部と看板女優のスキャンダルは、協会内の矛盾を演じているようなものだった。

大正二年（1913）五月三十一日、逍遥はとうとう抱月の辞任を認め、須磨子に「諭旨退会」をいいわたして、協会会長としての筋《すじ》をとおした。

♤

抱月の辞表が受理されてから、抱月派の約五十名が新劇団の創立を目指して、江戸川の清風亭に集まった。早稲田派のほとんどの人材が、抱月のもとに結集したといってもいいのだろう。あとにのこったのは、東儀鉄笛、土肥春曙など、逍遥子飼いのわずかな人たちで、文芸協会は解散にひとしかった。

劇団名は、左翼的な文芸評論家として知られた安成貞雄が、「どうしてもモスクワの『芸術座』と同じ名前にしてほしい」といったが、この案をこえるものはなかった。

抱月と須磨子は文芸協会を退会した四日後に、はじめての誓紙を交わしている。

私等両人、今度文芸協会を離れて、演劇運動を起すに就ては、其事業の為に必要なる限り両人の恋仲を精神的に確く相守ると共に、遅くとも必ず弐参年以内に準備を調へ、両人正式に結婚することを約束す。其間若し何れか一方操守を破るの行為ありたる時は、他の一方は此誓約を破棄することを得べし、依て後日の為、此誓紙弐通を作り各署名して壱通宛所有するもの也。

大正二年六月四日　島村瀧太郎
小林正子

二人のかわした誓紙は、日付の違うものが三通のこっている。六月四日のあとの二通は、翌年の二月十二日と四月三日付で、短期間に書かれた複数の誓紙は〈後日かならず結婚する〉ことを、なんども誓約したことになる。

四月三日付の誓紙だけはカタカナで、「島村ト小林トハ相互ニ秘密ニ又ハ同意セザル異性者ト交通シタルトキハ一方ハ他方ニ対シ金五千円ヲ贈与スルノ義務アルモノトス」と罰金までついている。

最初の誓紙はどこで発見されたのか、はっきりしない。それから転々と人手をわたったので、巡業地の宿におき忘れていったという説もある。

二人はよく、たわいないことでケンカをした。

中村吉蔵が見ていたのは九州の巡業先のことで、抱月はファンだという芸者からせがまれ、羽織の裏に「わが胸の燃ゆる思いにくらぶれば煙は薄し桜島山」とかいた。須磨子はこれを見て食膳をけたおし、抱月のカバンから衣類をひっぱりだしてまきちらし、ののしりあい、つかみあいになるほど荒れた。抱月も「度し難い女だ、もう芸術座は解散する」と叫んだりしたが、翌日になるとふたりともケロリとしていた。

最初の誓紙は厳粛なものだろうが、のちの二通はこんなヒステリックな須磨子をなだめるためだったかもしれない。


芸術座がなによりも苦労していたのは運営資金だった。

有楽座の第一回公演（大正二年九月）は、メーテルリンクの『モンナ・ヴァンナ』と『内部』の二作をとりあげたが、苦しいやりくりとなった。

経営面だけではなく、抱月を悩ませたやっかいな問題があった。

舞台裏のわがままな須磨子は、毎日のようにスタッフや若い俳優たちと言い争っていた。

「須磨子横暴の声は劇団結成当初からあって、内部紛争が絶えなかったが、このころ水谷竹紫、川村花菱が脱退した」（『随筆・松井須磨子』）

それでも、須磨子をおさえきれない抱月に失望して、つぎつぎと創立当時に参加したメンバーが芸術座をさっていった。

創設当時の芸術座をふりかえれば、いつ解散してもおかしくない危機的な状態にみえる。

そんな苦境を救ったのが、大日本製糖の藤山雷太だった。「帝国劇場」の創立にもかかわった藤山が口をきいてくれたので、一つの目標だった帝劇公演『サロメ』がきまった。

ここから流れがかわってきた。

大劇場の公演スケジュールが入ったことで、新潮社の佐藤義亮も資金援助を約束してくれた。

❐『復活』と「カチューシャの唄」

抱月はロンドンで初めて『復活』の舞台をみたときから、十年もアンリ・バタイユの脚本をあたためていた。

ヒズ・マジェスティ座の『レサレクション〈復活〉』に二度も足をはこんで、大道具、小道具から役者のしぐさまで、詳細なメモをとっていた。ロンドンから「新小説」に送った『ツリーの「レサレクション」』の抱月の原稿からも、レーナ・アシュエルの歌を聴いたときの素直な感動がつたわってくる。

「そこで腰をかけたままカチューシャが、軽く手拍子撃ッて『春が溶けます白雪が』というような恋の歌を低い冴えた調子で歌ふ。男が軽く手拍子取る。オーケストラでは糸のような微かな一条の音を合わせ奏する。最もポエチカルな夢のような場です。」

抱月の『復活』は「ヒズ・マジェスティ座」に可能なかぎり近づきたいとおもっていた。

カチュウシャかわいや

別れのつらさ
せめて淡雪とけぬ間と
神に願いを　ララ　かけましょか

この歌詞は、アシュエルの歌〈春が溶けます白雪が〉のイメージそのままで、抱月はこのワン・コーラスだけ書いて中山にわたしている。

『カチューシャの歌』の表記は〈島村抱月・相馬御風詩〉になっているが、中山のメロディーが上がってから〈2から5まで〉の詞を御風が後づけではめた。

抱月はこの勝負どころで、しかも日本の新劇がはじめて試みた劇中歌で、まったく無名の中山晋平（✍3）にメロディーをまかせた。

今では、だれもレーナ・アシュエルの歌を聴くことはできないが、これほど確かな記憶が抱月にあったとすれば、メロディーも頭にのこっていたはずだ。

中山晋平は書生として抱月とおなじ屋根の下に住みながら、東京音楽学院ピアノ科を卒業している。それだけに『レサレクション』もレーナ・アシュエルの歌の話も、耳にタコができるほど聴いている。

あえて中山にまかせたのは、自分のイメージを、だれよりも正確に表現してくれる相手をえらんだことになる。

中山は一か月ちかく抱月のイメージと格闘してから、公演の数日前に、ようやく抱月に聴かせている。


帝劇の『復活』公演は、幕がおりて客席から流れだした、おびただしい観客が、いつも南廊下で足をとめた。壁面にはりだされた『カチューシャの唄』の歌詞のまえに、身うごきできないほど人がむれて、押しあい、へし合いしながら歌詞を書きうつしていた。


抱月の〈演劇の大衆化〉の仕事は、昭和初期に開花する日本のポップスにおおくのヒントをあたえたが、芸術至上主義にとりつかれていた大正の演劇人たちは、芸術座の劇中歌をいっせいに批判している。

自由劇場の小山内薫は、抱月の劇中歌を「芸術と俗衆に媚びる〈二元の道〉である」と酷評した。

堀内敬三も『音楽五十年史』の中で、芸術座は『カチューシャの唄』で「只の営利劇団に成り下がった」とまで書いている。

こんな批判にさらされていたころ、中山晋平は、抱月がなにげなく言ったことを覚えていた。

「先生は中山君、芸術は大衆なくして成立しないんだよ、とおっしゃったのです」

『復活』は五年間で四百四十四回も上演される記録をつくった。地方都市までことごとくまわり、朝鮮、台湾、満州、ウラジオストックまで足をのばしている。

♤

日本コロムビアから発売された『明治・大正・昭和／日本の流行歌の歩み』に「カチューシャの唄」「さすらいの唄」など六曲の松井須磨子の歌がレコードに収録されている。

このレコードから須磨子の音域をさぐってみると、E2からE4まで2オクターブあることになるが、上のほうはもうすこし余裕が感じられる。これはファルセットの部分も入ってのことだから、実音を計れば平均的な音域になる。

中山は「勘が悪いので、教えるのに閉口した」といっているが、添田知道の解説を読むと、作曲家と大衆の好みの差がわかるような気がする。

「『須磨子の歌が下手でねえ』と言われていたのはつとに聞くところである。しかし、可憐さには幼さが伴うものである。とすれば、これはこれでいいのである」

（『日本の流行歌の歩み』）

大正三年四月、中山晋平に、抱月、須磨子連名の手紙が巡業先の京都からとどいた。

「大阪八、九分の大入りつづき、京都は三千人からはいる南座三日間満員つづき、カチューシャの唄大はやり、蓄音機にまで入れました」

京都にあったオリエント・レコード（東洋蓄音器株式会社）が須磨子の歌をレコーディングしたのは、この手紙から大阪、京都公演のときと推定できるが、『カチューシャの唄』は大正三年に発売されて、二万枚のセールスをあげている。

「この数字は当時のレコード・プレヤーの普及台数に匹敵する。」（『帝国劇場の開幕』）

❐「芸術座音楽会」と北原白秋の「城ケ島の雨」

北原白秋は、「城ケ島の雨」を書く二年前に姦通罪で獄舎につながれて、詩人としての空白をつくっている。

姦通罪は明治十三年、刑法第百八十三条で次のように制定されてから、戦後の民法改正（昭和二十二年）までつづいていた。

「有夫ノ婦姦通シタルトキハ二年以下ノ懲役ニ処ス、其相姦《そのそうかん》シタル者亦《また》同シ」

白秋と松下長平の妻、俊子は、夫からの告訴で明治四十四年七月六日新宿警察署渋谷分署に連行された。

大正時代の総理大臣の年収が千円の時代に、ふたりは三百円という法外な示談金をはらって解放された。この金は白秋の弟・鉄雄がはしりまわって工面したもので、三重県で福島医院を開業していた俊子の父は、示談金の半額負担さえ拒否していた。

「一月二日に私は海をこえて三崎に行つた。死なうと思つたのである。恐ろしい心の嵐が凡ての優しい表情を無残にも吹き散らして了つた。私は海を見た。ただ波ばかりがうねつてゐた。山には紅い椿が咲いてゐた。私はあきらめきれなかつた。どんなに突きつめても死ねなかつた。」（『朱欒』大正二年二月号）

俊子は獄中で結核に感染していたので、白秋の援助をうけて、横浜市本牧に家をかりて養生していた。大正二年、俊子がようやく離婚できてから、二人は結婚して、白秋の家族といっしょに神奈川県三浦郡向ケ崎に住んだ。

北原家は困窮して魚介仲介業にまで手をだしたが、なれない商売はうまくいかなかった。家族は離散して、俊子と白秋は三浦三崎の見桃寺にころがりこんでいた。

島村抱月から、「芸術座音楽会」の詩の依頼がきたのはそんなときで、傷だらけの白秋は暖かいものを感じたはずだった。


♪


島村抱月という人は、いまでも功績にふさわしい評価を受けていない。松井須磨子との恋があまりにも下世話に喧伝されたことと、あっけなくこの世を去ってしまったからだろう。新劇活動だけではなく、日本のポップスのパイオニアとして抱月を語るときも、こうした先入観が邪魔をする。

「芸術座」の創設と、ほぼ同じころ開催された第一回「芸術座音楽会」（✍5）をあらためて見なおしても、芸術座の劇中歌（✍4）のかずかずが、偶発的ではなかったことが分かってくる。

この音楽祭が、まだ発足当時の苦しい財政状況のなかで開催されたことも、抱月がそれだけ、音楽と演劇をセットとして考えていたからだった。

抱月の音楽的教養については、『抱月のベル・エポック』〈岩佐壮志郎著〉のお世話になるが、

「先年までヴィー《ママ》ンの帝室オペラのディリゲント即ち指揮者たるハンス・リヒター、また現にライプチヒ大学の音楽教師たるアルツール・ニキッシュまたはベルリン皇室オペラ指揮者たるカール・ムック、同じくリヒヤード・ストラウス」

こんな忘備録のような日記からも〈劇場通い〉だけではなく、音楽にも大きな興味をもって「ベルリン王室歌劇場」や「ベルリン・フィルの演奏会」に熱心にかよっていたことがわかる。

芸術座の音楽は〈中山晋平があってこそ〉という、歌謡史の通説とは裏腹《うらはら》に、逆に抱月が、中山におおくの音楽的な情報をあたえていた。

「松井須磨子や中山晋平、竹下夢二というような人々をさておいて、大正文化を語ることはできないが、彼らがいずれも抱月が見出した才能だったことは、これまで繰り返し見てきたことである。」『抱月のベル・エポック』

三浦岬の白秋までもどってくると、いつになっても詩想が定まらない白秋がいて、「芸術座音楽会」の日は容赦なく近づいていた。

やっと舟歌として「城ケ島」のモチーフにたどりついたのは、約束の日をはるかに越えていた。しびれを切らした芸術座は見桃寺まで人をやって待たせたが、二十七日の夜になってやっと完成した。

雨はふるふる　城ヶ島の磯に、
利休鼠の雨がふる。
雨は真珠か、夜明けの霧か、
それとも私の忍び泣き。

ようやく詩をうけとった作曲の梁田貞にも、ぎりぎりの時間しかのこっていなかった。逃げ場のない時間と集中力が白秋の名作をうんだが、白秋の詩に触発された梁田も、おおくの時を必要としなかった。短い時間に曲を書きあげて、一気にピアノ・アレンジまで仕上げた。

歌手でもある梁田は白秋の詩がとどいてから、わずか三日でステージにたったが、この日、見事なテノールにのった「城ヶ島の雨」は、もっとも多くの拍手をあびている。

「城ケ島の雨」は北原白秋の詩に、はじめてメロディーがついた作品だった。

白秋は「松井須磨子があらわれるまでは、あたらしい詩が大衆の前で歌われることはなかった」といったそうだが、抱月への敬意ともうけとれる。

それからの白秋は、芸術座の劇中歌（✍4）を、次々と書くことになった。

大正六年に発売された「さすらいの唄」（北原白秋詩、中山晋平曲）は、蓄音機の普及が進んでいたので、「カチューシャの唄」をはるかに越える大ヒットになった。

『日本の流行歌の歩み』（日本コロムビア）の解説は二十五万枚と書いているが、この数字を1970年代のアナログ全盛時代にあてはめると、三百万枚という、とんでもない数字になってしまう。


そのころ内田魯庵がこんな歌を詠んでいる。

「春雨の銀座の夜を女優髷　ゴンドラの唄　口ずさみ行く」

余談になるが、「ゴンドラの唄」（北原白秋詩・中山晋平曲）をレコーディングした日蓄のディレクター森垣二郎は、須磨子の歌唱印税は一銭も発生していないと書いている。

須磨子は「レコード、一ダースちょうだい」と言っただけだったが、森垣はさすがに気が引けたのでレコードに五十円の謝礼金をそえて持っていった。

中山晋平はこの年に江南敏子と結婚したので、生活費もふくらんでいたはずだった。それでも「いくらよこせとも、なんともいわなかった」ので、森垣は自分の裁量で大奉書紙に水引をかけた金一封を、自宅まで持参して挨拶をしただけだった。

この話から推測すれば、白秋も正当な報酬を受けとっていなかったのだろう。

このころの大衆芸能の人たちは、レコードの吹き込みはオマケくらいに考えていたので、金銭を口にするのは卑小な行為だとおもっていた。

日本の作詞、作曲家も、歌手も、欧米のメジャー・レーベルが日本に進出するまで、印税方式を誰もしらなかった。

芸術座音楽会は、第二回（✍5）が終わった翌年の〈島村抱月の突然の死〉で、永遠に幕を閉じることになった。

❐島村抱月と須磨子の死

大正四年八月、牛込横寺町九番地に試演場まである「芸術倶楽部」が七千円をかけて落成した。

そのころは東京銀座の、ど真ん中の土地が坪五百円の時代だったので、牛込あたりでは、かなり目だった建物だったのだろう。裏二階に抱月と須磨子の部屋があって、二人は夫婦のように、ここで暮らしていた。

北原白秋が逮捕されたように、まだ〈姦通罪〉が施行されていた時代だが、「有夫ノ婦姦通シタルトキハ二年以下ノ懲役ニ処ス」は、抱月にとっては逆パターンになる。

この悪法は〈有婦の夫の不倫はおかまいなし〉という、不合理なものだった。

旗揚げから五年たった大正七年（1918）は、芸術座の経営もようやく安定した。

この年の十月になるとクリムトを殺したスペイン風邪が、日本でも猛威をふるったが、芸術座のなかでも大はやりだった。まず須磨子が寝込んで、須磨子を看病していた抱月に感染した。須磨子は軽くてすんだが、肺を病んだ病歴もあり、体力のない抱月は多忙な仕事におわれて、こじらせてしまった。痰に血がまじっていて、微熱もつづいていたという。

たぶん肺炎をおこしかけていたのだろう。それでも『緑の朝』の立稽古には姿をみせて、ときどき咳込みながら須磨子の演技をみていた。

十一月四日、明治座の舞台稽古の日に須磨子をおくりだしてから、高熱をだして病状が急変した。

午前零時近くまでは、須磨子のかえりを待って気をはっていたが、そのご昏睡した。

抱月は看護婦にみとられながら「ア、死ぬ…死ぬ…」といって息をひきとった。

大正七年（１９１８）十一月五日、午前二時近い「芸術倶楽部」の一室だったが、まだ壮年の四十八歳で、あまりにもあっけなかった。

須磨子は舞台稽古が終わってから駆けつけたので、午前三時になった。

そのときの抱月は、もう冷たくなっていた。

須磨子が出かけたときは「頑張ってくるように」と声をかけてくれたので、それほどの重病とはおもってもみなかった。

須磨子はとりみだして「注射を！注射をしてください！」「もういちど生かして」などと泣きわめいて、もういちど医者がよびもどされたが、蘇生するはずがなかった。

島村抱月の死後、須磨子の心労はたいへんなものだった。

明治座公演の『緑の朝』が抱月の葬儀を待たずにはじまり、青山斎場の須磨子は、心労と疲労から倒れかけたが、芸術座のスタッフが手とり足とりして喪服をきがえさせた。それから車のなかに荷物のようにおしこんで明治座まではこんだ。

やっと舞台の幕がおりると、須磨子にはきびしい現実が待っていた。

芸術座を存続させるために、遺産と権利をめぐる話も遺族としなければならない。座長をまかされても、とうてい抱月の代役はつとまらなかった。

じわじわと染みとおってくる孤独とタナトスが、須磨子を支配していった。

◇

須磨子の最後の舞台になった有楽座の「カルメン」公演は、抱月の死が知れわたっていたので、興味本位の観客まで動員して正月興行は大入りになった。傷心の須磨子が舞台にあらわれると、しばらく拍手がやまなかった。劇中で須磨子が恋人の亡きがらにすがって挽歌を歌うシーンでは、客席のあちこちからすすり泣きがもれてきた。

「カルメン」は連日満員になったが須磨子はいつになく、気が入っていなかった。死の前日には、めずらしくセリフをとちった。

『カルメン』の劇中歌は「煙草のめのめ」「酒場の唄」「恋の鳥」「花園の唄」の四曲あったが、須磨子は有楽座の楽屋で火鉢に手をかざしながら、北原白秋詞の「煙草のめのめ」のフレーズをヒステリックに歌っていた。

煙草のめのめ　空までけぶせ
どうせこの世は　癪《しゃく》の種
煙《けむ》りよ　煙り　ただ煙り
一切合切《いっさいがっさい》　みな煙り

一月四日の朝、芸術倶楽部のスタッフのひとりが、大道具部屋をのぞいている須磨子をみかけている。縊死するための下見のつもりで、扱帯《しごき》をかける場所でも探していたのだろう。

松井須磨子は抱月の月命日をえらんで、四日の夜から五日にかけて部屋にこもっていた。五日の午前四時になってから、一緒にすんでいた甥をよんで三通の手紙をわたしている。このながい時間は、仏壇に線香を炊き、坪内逍遥夫妻、伊原青々園、米山益三（須磨子の実兄）宛の三通の遺書を書いてから、抱月が死んだ時刻までじっと、もの思いにふけっていたのだろう。

もちろん甥は遺書とは知らずにうけとっている。須磨子は、それから死出に旅立つ準備をはじめた。舞台にあがるように丹念に化粧をしてから、静かに立ちあがり、階段をおりて舞台裏の大道具部屋に入っていった。

♠

伊原青々園のみた、死化粧をした須磨子は三十四歳だったが、はじめて大役をあたえられた『ハムレット』のオフィーリアのように美しかったという。

検視に立ちあった巡査は、須磨子が身に着けていた遺品を一つだけ発見した。抱月の愛用していた懐中時計が帯の間にはさんであって、まだ、小さな時をきざんでいた。

須磨子の三通の遺書は、おなじように「島村抱月と一緒に埋葬してほしい」と書いてあったが、だれひとり、抱月の妻に〈須磨子の最後のねがい〉をつたえた人はいなかった。

✍ supplement

（✍1）**抱月・島村瀧太郎**　は明治四年（１８７１）島根県那賀郡久佐村で佐々山一平、チセの長男として生まれた。一平は、津和野藩久佐村の庄屋だった佐々田家所有の鉄山をまかされていたが、経営に失敗して大きな借金をつくり、一平自身も破産した。瀧太郎の成績は少年時代から群をぬいていたが、小学校を卒業すると十二歳で浜田町にでて浜田病院の薬局見習生になった。滝太郎は医師になる夢をもっていたが、病院に入ってから医学校に進むには中学をでなければならないことを知って、松江始審裁判所浜田支店の給仕に転職している。病院では夜まで仕事があったが、裁判所は夜学に通うこともできたので、給仕をしながら夜の私塾にかよって漢学と英語を学んだ。給仕時代から滝太郎の学力は、すでに旧制中学上級程度の力を備えていたので、いつの間にか裁判所の英文の手紙は滝太郎にまわってくるようになった。

滝太郎の人生をかえた島村文耕が、検事補として赴任してきたのは明治十九年のことだった。一羅卒から身をおこして検事にまで上りつめた苦労人は、短期間に貧しい衣服の中にかくされていた、若い給仕の才能に気づいた。島村家は代々男子にめぐまれない家系で、養子の文耕にも跡継ぎがなかったので、分家の次女・いち子（戸籍名はイチ）を養女にすることになっていた。文耕は滝太郎を呼んで、東京に出て進学するつもりなら学費を援助しようと伝えたが、このときから、いち子と結婚させるつもりになっていた。
「突然父は仁王立ちになって叫んだと言う。われ〈お前〉は、東京へ出て学問がしたいから銭を出してもらうんだと言うが、われの本心は違う。儂が付きまとうのが邪魔なんだ、貧乏と借銭が付いて回るのでの。それで養子に行きたいんだ！ われの世話にはならん！」（『評伝・島村抱月』）
弟の雅一の談話からも、滝太郎の深い喪失感だけがつたわってくる。
このとき十九歳の滝太郎は、ようやく父にさからって生きる決意をした。島村文耕に会って一年の猶予をもらうと、明治二十三年二月六日、苦学を覚悟の上で東京にむかった。

（✍2）**ケークウォーク**（Cake-Walk）南米からアメリカ南部に伝えられた二拍子の、単純でリズミックなダンスは、ジャズの発祥にも影響があった。ケーキを賭けてダンスの優劣を競いあったことから、この名がついた。二十世紀にはフランス、イギリスでも流行したが、フランスではクロード・ドビュッシー、プーランクといった近代音楽の巨匠にもカルチャー・ショックを与えた。影響をうけた作品の中には、ドビュッシーの組曲「子供の領分」「ゴリウォーグのケークウォーク」(Golliwogg's Cake-Walk)、プーランクの「黒人狂詩曲」などがある

（✍3）**中山晋平** 明治二十年(1887)長野県下高井戸郡新野村（現・中野市）に中山実之助、ぞう（母）

の四男として生まれた。代々五郎右衛門を名のった豪農だったが、実之助が、晋平六歳のとき妻と四人の子をのこして死んでいる。このときから中山家の窮乏がはじまる。一時は休学して呉服店の見習奉公に出されたこともあったが、なんとか高等小学校を卒業した。

晋平は下高井高等小学校時代にきいたジンタがわすれられなかった。この日から中山晋平は音楽家を夢みていた。

十六才で長野県師範学校講習科第三種を受講し、尋常小学校準教員の資格をとったが、小学校の代用教員をつとめながら上京のチャンスをねらっていた。そんなとき、島村抱月の実弟佐々山雅一の夫人が長野出身で、ヨーロッパから帰国した抱月が書生をさがしていること知った。

明治三十八年（一九〇五）十一月、中山晋平は延徳小学校の教職を辞してから、島村家をたよって上京した。抱月は帰国してまだ半年もたっていないころで、多忙な抱月を補佐して誠実にはたらいた。それからは書生として寄寓しながら東京音楽学校（現、東京芸術大学）に入り、大正元年にピアノ科を卒業した。

（✍4）**芸術座公演の主な劇中歌**

☞『復活』トルストイ作

＊『カチューシャの唄』（島村抱月、相馬御風作詞、中山晋平作曲）

☞『その前夜』ツルゲーネフ作

＊『ゴンドラの唄』（吉井勇作詞、中山晋平作曲）

＊『眼のない鳩さん』（楠山正雄詞、梁田貞曲）

☞『生ける屍』トルストイ作

＊『さすらいの唄』（北原白秋作詞、中山晋平作曲）

＊『今度生まれたら』（北原白秋作詞、中山晋平作曲）

＊『にくいあん畜生』（北原白秋詞、中山晋平曲）

☞『沈鐘』ハウプトマン作

＊『森の娘』（島村抱月、楠山正雄作詞、中山晋平作曲）

＊『山羊さん』（島村抱月、楠山正雄作詞、中山晋平作曲）

＊『水藻の花』（島村抱月、楠山正雄作詞、小松耕輔作曲）

☞『緑の朝』ダヌンチオ作

＊『緑の朝の唄』（小山内薫、長田秀雄作詞、中山晋平作曲）

☞『カルメン』メリメ作

＊『煙草のめのめ』（北原白秋作詞、中山晋平作曲）

＊『酒場の唄』（北原白秋作詞、中山晋平作曲）

（✍5）『芸術座音楽会』

第一回芸術座音楽会は大正二年十月三十一日、数寄屋橋の有楽座で開催された。

抱月は「この音楽会の目的は、歌曲などの西洋の音楽を取り入れて、若い世代のために新しい音楽文化の道を開くこと」だと、ヴィジョンを述べている。

『芸術座音楽会』にはじまる二ッポンの歌は、早稲田派の詩人たちと一緒に幕もあけようとしていた。三木露風、相馬御風、人見東明など早稲田詩社のメンバーと北原白秋、薄田泣菫といった詩人たちが、若い作曲家、鈴木鼓村、沢田柳吉、梁田貞と組んで新作歌曲を発表した。オリジナル曲の他にも、フォーレ、シベリウス、ロッシーニなどのクラシック音楽も演奏されている。

プログラムの文章からも、抱月の熱いおもいがつたわってくる。

「従来の音楽界で封印されていた創作の尊重と云う・・・音楽と他の姉妹芸術との接点ということであります。」（『芸術座音楽会の成立』）

この文章は、まだ『復活』公演のまえだったが、音楽と演劇の〈接点として〉の須磨子の「劇中歌」が、すでに抱月の頭の中にあったことがわかる。

第二回『芸術座音楽会』　大正六年、牛込の芸術倶楽部で公演されたが、この日の演奏会からも、後世に残る名曲が生れている。

竹下夢二の処女詩集『どんたく』は絵入り小唄集として、大正二年に実業之日本社から出版された。

この中の三行詩『宵待草』に、宮内庁のヴァイオリニスト多忠亮（おおのただすけ）が曲をつけて演奏した。

聴衆の反応からもこの曲の大衆性を予感させたが、翌年の大正七年、夢二の絵表紙で『宵待草』の楽譜がセノオ楽譜から出版された。それからの楽譜の売れ行きは、今でも大正ロマンの代表作として愛唱されていることで説明がつく。歌いつがれたこの曲は、のちに高峰三枝子が歌って大ヒットしたことで、さらに大衆化した。

Ⅱ．叙情派の詩人たち

「赤い鳥」創刊号

♪野口雨情の北海道漂流

野口雨情の東京専門学校時代の資料は、ほとんど残っていないが、坪内逍遥が雨情にさまざまな気配りをしていたことは、いくつかの文献から読みとれる。

雨情が東京専門学校を中退したのは明治三十七年のことで、父・野口量平が急死したので、茨城県磯原の生家にもどった。

島村抱月がまだベルリンにいたころだが、磯原にかえってきた雨情のもとに、逍遥から手紙がとどいて、「ローカル詩に生きよ」と書いてあった。

逍遥は早稲田をはなれた教え子にも、こうした気づかいを忘れなかったが、この言葉からも、土の香りがする詩人としての資質も見ぬいていた。


磯原から話をはじめるが、雨情の生家は水戸光圀が建てた休息所「観海亭」として知られている。野口英吉（雨情）は明治十五年、この由緒ある屋敷でうまれた。野口家は楠氏のながれをくむ家系で、光圀に重用されたと伝えられている。広大な山林と観海亭まであたえられたのは、たしかに異例のことだろう。

雨情はのちに、「自分の祖先は楠正成の弟・正季だ」と門下生の泉漾太郎にいっている。『楠氏研究』（藤田精一著）から楠氏の系譜をたどってみると、正季の血は次代（正忠）で絶えているが、楠正資の末裔に宗和という人物がいて、光圀の家臣になっている。

楠氏で光圀に仕えたのは、この宗和しか見あたらないので宗和を始祖として宗家、分家をなしたと思われる。

雨情の家も水戸家楠氏のそんな流れのなかの家系ではないだろうか。

廻船業として栄えていたこの名家も、雨情が東京専門学校に入学したころは傾きはじめていた。父・量平の晩年は船が火災をおこしたり、難破したりで、あいつぐ不運つづきだった。

在学中に磯原に呼びもどされた雨情は家業を立てなおすどころか、遊郭にかよったり近郷の女と噂になったりの生活だった。雨情には詩作の才しかないという自覚と中途退校した挫折感もあったのだろう。

母も親族もなんとか落ちついた生活をさせたいと思って、高塩ひろとの縁談をすすめた。二人の結婚は、量平の、生存中からのきめごとだったが、雨情は家庭にも事業にも向かないひとだった。この結婚は、雨情をさらに苦しい立場にしただけだった。

こんな窮状のなかでも、雨情は詩集『枯草』を自費出版している。それだけ詩人としてのこだわりを持ちつづけていたのだろうが、この詩集は詩壇からまったく無視されて雨情は傷ついていた。

このとき手をさしのべてくれたのも、坪内逍遥だった。

逍遥の紹介でようやく東京に職をえて、西大久保の借家に妻と一緒に住んだ。

詩壇からはじめて注目された月刊民謡詩集『朝花夜花』は、このときの、つかのまの穏やかな生活から生まれている。

明治四十年三月、三木露風、相馬御風、など、六人の早稲田系の詩人が結成した「早稲田詩社」に野口雨情も名もあるが、『朝花夜花』を高く評価していた小川有明の推挙だった。

雨情はひとりの詩人として胸をときめかせていたが、そんなとき逍遥からの手紙を受けとった。

「君の希望している新聞社が札幌にあるらしい。大した新聞ではないかもしれぬが、梅沢君を訪ねて行くように」〈梅沢君は西行法師の研究家・梅沢和軒のことらしい。〉

自らジャーナリストを志望したこともあって、雨情は詩社への未練をのこしたまま札幌にわたっていった。

♠

札幌には「北海タイムス」「北門新聞」、「北鳴新聞」の三社あって、啄木の文章〈『悲しき思出』）によると雨情の入った北鳴新聞の発行部数はタイムスの十分の一になる。

雨情と石川啄木の出会いは、二人の追悼文を読んでみると、かなりくいちがっている。二人がそれぞれ追悼文をのこした奇妙な現象は、読売新聞の死亡欄に「野口雨情が札幌で客死」と訃報がのったからだった。北海道新聞の広告部に野口木之助という広告部長がいて、この人の急死が誤報をうんだ。

すでに北海道をさっていた啄木は、この記事を信じて「悲しき思出―野口雨情君の北海道時代―」を書いている。

ここでは「北門新聞」の校正係として入社した啄木が、はじめて雨情とあったことになっている。「北鳴新聞」が休刊になって浪人中だった雨情も入社するときいたので、「小国の宿にて野口雨情君と初めて逢えり」と日記にある。

雨情の「札幌時代の石川啄木」では、啄木の名は与謝野鉄幹が主宰していた『明星』で名前を見たていどだった。

とにかく雨情の文章をたどると、啄木は紹介状をもって花屋という下宿屋にたずねてきた。

「きみの新聞の校正で良いから」仕事を斡旋してほしいとたのまれたという。

「赤く日に焼けたカンカン帽を手にもって、洗い晒しの浴衣に色がさめかかったよれよれの絹の黒っぽい夏羽織をきてはいってきた。そして「わたしは石川啄木です」とあいさつしたが、雨情が洗顔してもどってみると「煙草を頂戴しました」といって、勝手に雨情の巻煙草をうまそうに吸っていた。

おまけに煙草を買う金がないといって大笑いした。

「かうした場合に啄木は何時も大きな声で笑ふのだ。この笑ふのも啄木の特徴のひとつであつたらう」

啄木の親友でもあった金田一京助（言語学者）は、雨情の記述は「詩人的幻想による誤謬《ごびゅう》が多い」といったが、雨情の書いた若い詩人は、これを「幻想」と片付けるには、あまりにも啄木らしい。

啄木の日記にあらわれる雨情の印象もまた、いかにも雨情らしい。

「言葉から挙動《ものごし》から、穏和《おとなし》いづくめ、丁寧づくめ、謙遜づくめ、デスと言はずにゴアンスと言つて、其度些《ちょいと》と頭を下げるといつた風、風采はあまり揚つてゐなかつた。イをエと発音し、ガ行の濁音を鼻にかけて言う訛《なま》りが耳についた」

二人は「小樽日報時代」に、編集主幹・岩泉江東の排斥運動にまきこまれて、ぎくしゃくしたことがあった。

創設されたばかりの「小樽日報」はあちこちで失敗した記者とか、役に立たない文学青年の吹きだまりで、新聞社とは言えないほど記者の質も風土もわるかった。

雨情は三面主任で、啄木は部下だったので疑心暗鬼のなかで誤解があったらしい。

このときの雨情はあっさり身をひいている。

「野口君退社す。主筆に売られたるなり」と日記に書いた啄木は、雨情のあとがまに座って給料もあがった。

『日本文壇史12』（伊藤整著）は「結果としては、啄木は雨情を裏切ったと同様のことになった。そして啄木は、十月十六日（日記）の野口雨情攻撃の部分を、八行の斜線を引いて抹消した」と書いている。

二年足らずのあいだに、さんざんな目にあって北海道を引き上げた雨情は、東京でしばらく『グラヒック』の編集についたが、この雑誌も休刊になったので磯原にかえってきた。

それから約六年のあいだに、妻ひろと離婚したり、福島の炭鉱の事務をやってみたり、湯本温泉の芸者置屋、柏屋の旦那までやっている。

大正八年三月『茨城少年』の編集にかかわっていたころ、雨情はふたたび詩作に情熱をもちはじめた。

♪詩人・西條八十と『赤い鳥』

西條八十（✍1）は文学世界の住人にしては、めずらしく金銭感覚がしっかりしている。フランス留学の経験もあって、欧米のビジネスライクな様子を見てきたこともあったが、それにくわえて、父の死後、放蕩三昧の兄のために、ほとんどの資産をうしなっている。東京牛込の西條家の資産は土地だけでも大久保駅周辺に一万三千坪以上あり、ほかにもいくつかの土地つき家屋があった。八十が中学に入学した翌年、父重兵衛が脳溢血で急逝して、西條家の転落がはじまる。

それでもまだ、働かずに学校に通うくらいの遺産はのこされていたのだろう。

明治四十二年、八十は早稲田大学英文科講師となった吉江喬松をしたって、早稲田の英文科に入学したが二か月で退学している。大学の講義に失望したと伝えられているが、退学したあとに神田の正則英語学校に入学したことからも、自身の語学力に不安をもったのが本音だった。

語学を本格的に学びなおす決意をした八十は、暁星中学の夜学にもかよってフランス語の勉強もはじめた。

二年後の八十は、十九歳で早稲田の英文科に再入学したが、東京帝国大学文学部国文学部の選科生になって、二つの大学に通った。

八十はこのころから、自信に満ちた歩調であるきはじめている。

再入学してから、日夏耿之介たちと同人雑誌『聖盃』を創刊して本格的に詩作の文学活動に入った。そして翌年は、『早稲田文学』に「石階」が掲載されている。

暗《くら》い海は
無果実《いちじく》の葉陰《はかげ》に鳴る、
蒼白《あおざ》めた夜《よる》は
無限の石階をさしのぞく

一つの寡婦《くわふ》は盲《めし》ひ
二つの寡婦《くわふ》は悲しみ
三つの寡婦《くわふ》は金色の洋灯《ランプ》を持つ
彼等《かれら》は等しく静かに歩む
彼等《かれら》はひとしく石階を登る

なんの確証もないが、この詩が鈴木三重吉の目にとまったのかもしれない。

大正七年（1918）七月一日に創刊された童話童謡雑誌『赤い鳥』は、鈴木三重吉（夏目漱石門下）の「政府主導の唱歌や児童文学」へのつよい不満に、徳田秋声、有島武郎、高浜虚子、芥川龍之介、北原白秋など、おおくの文学者が共感した。

この雑誌の成功は、たちまち新童話と新童謡のムーブメントへと発展していくことになる。

西條八十は、「一世を風靡した小説家」がわざわざ訪ねてきた日の驚きを、こう書いている。

「兜町通いをやめて、出版社の二階で雑誌『英語之日本』の編輯《へんしゅう》をやりながら、また好きな詩をノートに書き込んでいるわたしのところへ、ある朝、意外な客が訪れた。その朝はちょうど店の小僧が出かけたあとで、わたしが代わりにワイシャツにズボンという姿で店頭で注文の書籍の荷造りをしていた。そこへ色の黒い眼のするどい、髭のある小男が和服姿で入って来て、

『西條八十さんはおりますか』

といって、小さな名刺を出した。それには鈴木三重吉と書いてあったので、私はびっくりした。」（「唄の自叙伝」）

のちに『赤い鳥』が衰退したことで、鈴木三重吉は「宮沢賢治の存在を知りながら無視した」など、無名の若い作家を育てなかったと批判された。

しかし、このときの西條八十も、まだ「無名の一青年」だった。

八十の「忘れた薔薇」は『赤い鳥』九月号にのった。

つづいて十一月号に「かなりあ」を発表したが、翌年の五月号で成田為三がこの詩に曲をつけて、初の楽譜付の童謡としてふたたび掲載された。

「赤い鳥」十一月号

唄を忘れた金糸雀《かなりあ》は
象牙の船に銀の櫂《かい》、
月夜の海に浮かべれば
忘れた唄を思い出す

この日から「かなりあ」は日本中の子供たちに愛唱され、芥川龍之介の「蜘蛛の糸」、北原白秋の「からたちの花」と並ぶ『赤い鳥』のシンボリックな作品となった。

大正八年、西條八十は二十七歳で詩集『砂金』を自主出版した。

この処女詩集は、「かなりあ」の詩がひろく知れわたったことで、またたくまに十八刷まで版をかさねた。すでに妻・晴子がいたので、八十は神田神保町から家賃十九円五十銭の小石川駕籠町の借家に引っ越した。

♫

野口雨情が「枯れ芒《すすき》」をもって中山晋平をたずねたのは、いつだったのだろうか・・・。

雨情が「枯れ芒」（後に中山晋平のすすめで「船頭小唄」と改名）を書いたのは、大正七年から大正八年にかけてだったとおもう。

大正八年の夏、ニッチク（日本蓄音機商会）の森垣二郎は中山晋平、野口雨情をさそって、三人で東北地方の「民謡調査の旅」に出たことがあった。（『レコードと五十年』森垣二郎著）

森垣は「私との交遊は大正六年からである」（「野口さんと私」）と書いているが、中山晋平とは「芸術座」創立からなので、もっと古い。

このときの二人が初対面かどうかはわからないが、中山と野口の距離を近くしたことはまちがいない。そんなことを考えれば、雨情は、この旅のあとに中山をたずねていったと考えるのが自然かもしれない。

そのころの中山は、抱月、須磨子を見送ってから、まだ一年もたっていない。抱月と芸術座の存在があまりにも大きかっただけに、しばらくは虚脱感を引きずっていたのだろうし、創作意欲もなかったのだろう。

中山は雨情から預かった「枯れ芒」を、それから二年ちかくほうっておいた。


中山晋平とは対照的に、野口雨情を気にかけている詩人がいた。

雨情がまだ水戸で苦労していたころ、『金の船』を創刊した斎藤佐次郎に紹介したのは西條八十だった。

斉藤は防水布の事業で財産をきずいた、資産家の息子だったが、早稲田の英文科を卒業してから『赤い鳥』に大きな影響をうけて、この雑誌をこえる児童誌の創刊をめざしていた。

大正九年、そんな構想もあって、西條八十と上野・不忍の池にちかい料理店であっていた。

八十は「かなりあ」を書いた後で、もう著名な詩人になっている。

早稲田の一年先輩だったこともあって、斎藤にいくつか助言をしたが、雑誌の中心となる編集者と作家のはなしのなかで、野口雨情を熱く語った。

「彼はいま茨城にいるが、家庭にいろいろあってボロボロになっている。でも才能は間違いない。私も傾倒している」（『金の船』小林弘志著）

雨情はおぼえていなかったろうが、八十は早稲田中学時代に雨情にあっている。

「ぼくは中学時代から、雨情の民謡張りの詩を愛読し、あこがれていた。雨情が相馬御風等と早稲田詩社を結び、月刊詩集『朝花夜花』を出していたころである。ぼくはこの詩人の顔が見たさに、当時早稲田中学の英語教師だった吉江喬松に頼み、些細な用事をつくってもらい、その使いとして西大久保の雨情の家を訪ねたことがあった。雨情は中肉中背の美男子で、夕ぐれの縁側でしきりにランプのほや掃除をしていた。」（『女妖記』）

まだ十代の八十は、このころから詩壇の片隅にいた野口雨情に敬意をいだいていた。

メロディーが聴こえてきそうな雨情の詩のリズムが、そのころから八十のなかにも宿《やど》っていた、証《あかし》でもあった。

五条館《ごじょうやかた》の　女郎《いらつめ》は
山に雉子《きじこ》啼《な》く　日であった
被衣《かつぎ》かついで　片岡の
馬に乗られて　まへられた（山のふもとを　越えられた／改作前『焼山小唄』）

馬が嘶《いなな》きゃ　女郎《いらつめ》は
かつぐ被衣《かつぎ》に　顔かくれ
雉《きじ》が啼《な》いてる　いただきの
山の麓を　越えられた

越えたその夜に　いただきの
山は焼けたが　野は焼けず

芒尾花《すすきおばな》は　片岡の
　馬に食われて　芽が萌えた。

（『別後』「焼山小唄」／『朝花夜花』第一集より再録〈改作〉）

「この詩のなかのたとえば〈かつぎかついでかたおかのやまの……〉という一行を読んでも、雨情がいかに詩の重心をことばのひびきというものにおき、ことばの調子をよくするためには詩の内容などむしろ大胆に犠牲にするという傾向が最初からあったことがうなずけよう」（『我愛の記』〈野口雨情〉）

雨情をしのんだ八十のさり気ない解説は、まさに歌謡詩の極意をつたえている

八十のおかげで「金の船」の創刊号から編集にたずさわった雨情は、詩人としてもこの雑誌に童謡を発表している。

斉藤佐次郎の夢をのせた『金の船』は、雨情と作曲家・本居長世との出会いにもなったが、二人は「十五夜お月さん」「七つの子」「青い目の人形」「赤い靴」など、後世に残る名作をつぎつぎと生んだ。

長い惰眠《だみん》をむさぼっていた雨情は、ようやく『金の船』の出航から目ざめて、珠玉の童謡を書きはじめた。

✍ supplement

(✍1）西條八十

西條八十は明治二十五年一月十五日、東京牛込払方町一八番地、西條重兵衛、徳子の八人兄弟の第六子として生まれた。西條家は先代までは質屋として財産をつくった家系だったが、嫡子・丑之助が急死したので、藤沢から嫁入りするはずの徳子と番頭の重兵衛が急きょ結婚させられて、夫婦養子として西條家をついだ。

重兵衛の代になって石鹸の輸入をはじめてから、自家製造に発展させたので石鹸業者の先駆的な店舗のひとつとなった。八十は十二歳で早稲田中学に入学したが、生涯の師となる吉江喬松（弧雁）との出合いは、まだ英語教師と生徒の立場だった。

実兄の英次はこのころから旅役者についてまわったり芸者にうつつをぬかしたりで、両親の悩みの種になっていた。

八十が中学に入学した翌年、父重兵衛が脳溢血で急逝して、西條家の転落がはじまる。

重兵衛は生前に英次を廃嫡して八十に家督をゆずることとしたが、兄と番頭が手をくんで八十の相続人の権利を抹消して、すべての遺産を合法的に相続してしまった。

Ⅲ．昭和のヒット・メーカーとレコード・メーカー

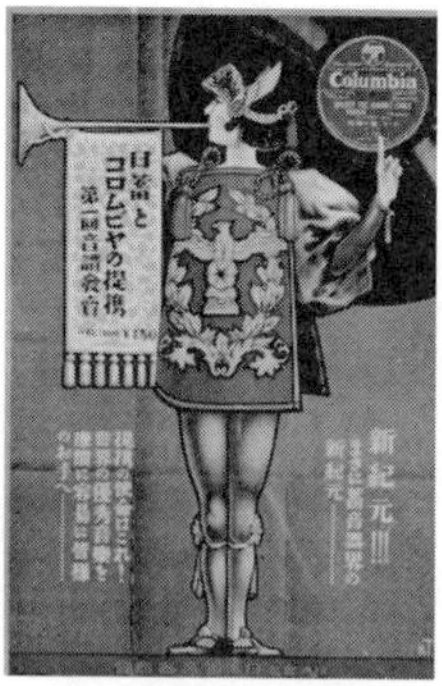

日本コロムビア第一回発売ポスター

❒ 欧米メジャー・レーベルの襲来
――日本コロムビア、日本ビクターの誕生――

〈ニッポンのうた〉を紡《つむ》ぎはじめた一群のヒット・メーカーたちを語るまえに、ここでは音楽のながれを大きく変えた電気吹込み〈電気録音〉と、欧米メジャーの日本進出を語らなければならない。

しかし、日本で初めてのレコード、蓄音機メーカーは、欧米メジャーの資本と影響力から創立された会社ではない。このことは、おおくの著書のなかに誤記が見える。

たしかに日本人が創設することはできなかったが、横浜で蓄音機などの輸入業「ホーン商会」を経営していたアメリカ人、F・W・ホーンが、明治四十三年(1910)「日本蓄音器商会」(✍1)を創立して、国産のレコードと蓄音機を発売した。

現代の日本人は、昭和初期に日本に進出した外資系の、日本コロムビア〈音符のマーク〉や日本ビクターの〈犬のマーク〉までは、なんとか記憶しているかもしれない。

それより十七年も前に、自己資本で日本にレコード、蓄音機を普及させたF・W・ホーンや二代目社長のJ・R・ゲアリーの功績はほとんど知られていない。

明治後半から昭和初期まで、日蓄〈ニッチク〉と呼ばれたこの会社が、日本のレコード産業を支配していた。

✧

日本のレコード産業の父、F・W・ホーンについては、拙著『カナリア戦史』との重複をさけて、ここでは、その後の日本レコード界と、メジャー・レーベルのワールドワイドな戦いから話をはじめたい。

電気録音の発明からはじまる近代史は、読者を退屈させるような辛気くさい話ではない。

ここでも個性的な経営者たちの、しれつな戦いとかけひきが、ドラマのように展開している。レコード産業のながれを大きくかえたのは、電気の発明がもたらした二つの事件だった。

1921年、世界初のラジオ局の誕生を知らせる歴史的なコールサイン〈KDKA〉がアメリカのピッツバーグに流れた。それから、たった二年のあいだに全米に六百のラジオ局が誕生した。ラジオは音楽を無料で聴ける新しいメディアでもあったから、リスナーはとうぜんのようにレコードを買わなくなった。

ラジオの普及と正比例して急降下した欧米レコード産業のちょうらくは、底が見えないようにおもえた。

ところが、それからの「もう一つの事件」が、レコード産業にあらたな生気をあたえることになる。

ニューヨーク港に近いウエスト・ストリート464にあったベル電話研究所は、ラジオの電波を増幅する技術が、レコードに応用できないはずがないと考えていた。

レコーディングがエレクトリック・パワーになることで、レコードの革命が起こることがわかっていた。アメリカ電信電話会社（ATT）の子会社になっていたベル電話研究所は、1924年五月、とうとう夢を実現させた。

特許申請を認可されたベル系列の「アメリカン・エレクトリック社」（以下、AE）は、まずアメリカのレコード会社、ビクター・トーキング・マシン社に特許使用権のセールスをかけた。

ところが、ベル社に派遣されてサンプル盤を聴いたビクターの社員たちは、ビクターのトップだった、エルドリッチ・R・ジョンソンに、それほど感動しなかったと報告した。ビクターが消極的だったので、AEも多少の迷いがあったのかもしれない。マーケティングの一部として、パテ社（フランスのレコードメーカー）アメリカ工場のフランク・カップスにサンプル・レコードを届けた。

カップスもまた、信頼できる友人の意見がほしかったので、このサンプルを英国コロンビア社長ルイス・スターリングに転送した。

こうして、まわり回った重要な意味をもつ荷が、ルイス・スターリングの手元に届いたのは、1924年のクリスマス・イブだった。でも、この時期は郵便物が多かったので、すぐには開封しなかった。やっと荷をあけて数枚のサンプルをとりだしたのは、何日かたっていた。

スターリングはサンプル・レコードを試聴したあと、しばらくぼう然としていた。これまでのレコードがすべてガラクタになってしまうことを、はっきりイメージできた。

スターリングは、何日かほうっておいた時間をひどく後悔したが、それからは全てのスケジュールをキャンセルして、すぐさまアメリカに渡った。

しかし、ようやく取りつけた特許使用権の交渉の場で、スターリングは思いがけない壁につきあたることになった。

♬

「アメリカの開発した特許は、国益を尊重しなければならないので、アメリカ企業以外に使用権を許可することはできない」

この意表をついたAEの回答は、民間企業とはおもえない〈国益の優先〉に終始した。

たぶんアメリカ政府から、なんらかの指導があったのだろうが、そのごのAEの行動は、たしかにアメリカ企業優先になった。

AEは、業績不振にあえいでいた米コロンビアに最初の使用権をあたえている。

スターリングはそれでも、あきらめきれなかった。

そのころの英国コロンビアは、すでに米国コロンビアから独立していたので、アメリカ企業とのパイプは閉ざされていた。

スターリングの英国でのライバル企業「英グラモフォン」は、HMV（His Master's Voice）の略称で呼ばれていたが、米国企業ビクター・トーキング・マシン社系列の会社であることはまちがい。AE社の明言したとおりに推移すれば、米企業の一部でもあるHMVは、とうぜんのように特許の使用権を獲得することになる。

そうなれば英国コロンビアは孤立する恐れがあった。

英国コロンビアが生きのこるために、スターリングはどうしても電気録音の使用権を手に入れなければならなかった。

この大ピンチに〈すばらしい閃《ひらめ》き〉をあたえたのは、大英帝国的な植民地政策だった。

「他国の大事なものがほしかったら、その国を手に入れることだ」

いっそのこと、経営不振で弱っている米国コロンビアを飲み込んでしまえばいいのだ。

スターリングのこのスケールの大きな発想は、まず銀行を味方につけなければならなかった。

スターリングがさっそく訪ねていったのは銀行王J・P・モーガンで、このM＆Aが成立しなかったら英国コロンビアの将来はないと力説した。モーガンは日参してくるスターリングの熱意にほだされて、とうとう買収資金の融資を約束してくれた。

こうして米国コロンビアは英国コロンビアの傘下に入り、欧米のレコード産業の地図をぬりかえたスターリングの大逆転劇は成功した。

このドラマは海をへだてた、遠くて小さな国、日本にまで影響をあたえることになる。

♪

日本のラジオが試験放送を開始したのは、大正十四年（1925）三月一日のことでアメリカのラジオ局誕生より四年もおくれている。

このころの「日本蓄音器商会」は、二代目社長、J・R・ゲアリーの時代だった。

アメリカに帰国した創業者F・W・ホーンから日蓄をひきついだJ・R・ゲアリーは、ホーン以上にわずかな記録しかのこしていない。フルネームも、正確なスペルも発見できないが、いくつかの会社に役員として名をのこしている。

横浜の外国人の世界では、名のとおった実業家だったのだろう。

この辣腕のアメリカ人経営者は、欧米のレコード産業に電気録音が導入された情報を、それほど誤差のない時点で知っていた。

ゲアリーが受けついだ当時の日蓄は、おおくの日本企業と同様に、「関東大震災」後の不況から抜けだせないままで、カンフル剤が必要な時期でもあった。

すこしでもはやく電気録音の新技術を導入しなければ、ニッチクは時代おくれの会社になり、音質の悪いレコードを販売しつづけるしかなかった。

もうひとつゲアリーが危機感をもっていたのは、不況に悩む日本政府が〈外国企業のレコード、蓄音機〉に、十割の関税を課すという苛酷な改正をしたことだった。日本のマーケットに進出していたビクター、コロムビア、グラモフォンなどのレコード・メーカーは、この改正で日本国内に拠点を築かざるをえない状況に追いこまれていた。

電気録音技術をもった欧米メジャーが日本に進出してくれば、日蓄は生きのこれないだろう。ゲアリーは行きつく先をそこまで読んでいたので、驚くほどスピーディに、ドラスチックに反応した。

ゲアリーが提携先を〈英米コロンビア〉に決めたのは、日本に新会社を設立しようとするビクターの動向がわかっていたからだった。

ゲアリーがまっさきに会ったのは、アメリカ・コロンビアを飲み込んだルイス・スターリングだった。

スターリングはゲアリーが読んだとおり、シャープに反応したので、話ははやかった。

昭和二年（１９２７）五月、日蓄は技術提携を条件として英コロンビアに総株式の三五・七％の株を譲渡した。

それからわずか三か月後の九月三十日、米国ビクターの百パーセント出資で「日本ビクター蓄音器株式会社」が設立されている。

ゲアリーは昭和二年十月に、さらに十一・七％の株を米コロンビアに譲渡した。

この思い切った海外資本の導入で、日蓄は昭和三年一月十二日、日本蓄音器商会から「日本コロムビア蓄音器株式会社」と改名して、正式にコロムビア・グループの傘下に入った。

日本ビクターの創立もほとんど誤差がないが、そのご、ぞくぞくとレコード会社（✍2）が名のりを上げている。

♬

日蓄は、昭和二年五月から、ギンガムという録音技師を米国コロンビアから呼んでいる。日本ビクター設立の情報をキャッチしていたスターリングは、ゲアリーが株式譲渡に合意した時点で、一日もはやく電気録音機とエンジニアを日本におくるように指示していた。

電気録音機は、港区内幸町の幸ビルにあった日蓄吹込み所にセッティングされたが、この〈大急ぎ〉には、もう一つの事情があった。

日蓄がヨーロッパで名をあげたテノール歌手・藤原義江に触手をのばしたとき、すでに日本ビクターとの契約が内定していた。ところが、ふたを開けてみれば文芸部の現場も知らないあいだに、いつのまにかコロムビア上層部が海外で極秘に藤原と交渉をすすめて、ビクターとサインする前に何曲かレコーディングする合意をとりつけていた。日本の現場をとおり越したメジャー同士の戦いはすでに海外ではじまっていた。

こんな複雑な事情の中で、録音機がやってくると、たのみの綱は米コロンビアから派遣されてきたエンジニアのギンガムだけだった。

ところが、この「たのみの綱」が、あまり頼りにならないことがわかった。

ギンガムもまだ電気系統の作業を完ぺきにマスターしていなかったらしく、電源をつなどと雑音がなりやまなかったり、とつぜんマイクが火をふいたりして、スタッフはこの新兵器に悩まされつづけた。当時の録音技師・竹中清治は日米の混血児で、ネイティヴな英語を話せるひとだったので、ギンガムといっしょに悪戦苦闘していた。

それでも帰国した藤原義江のレコーディングだけはなんとか録りおえた。このやっかいな録音機はまもなくウエスタン式録音機にかわったころから、ようやく安定して、電気録音が軌道にのりはじめた。

1931年三月、英コロンビアは世界の音楽業界に衝撃をあたえたHMV（英グラモフォン）との合併でEMIレコードと社名を変更した。

それでも、英コロンビアの資本がひきつづき日本コロムビアを支配したことに変わりはない。

当時、世界最高の性能といわれた電気録音機は、EMIが開発したMC式電気録音機だった。日本はまだ、この名機の存在さえ知らなかったが、EMI誕生の一年後に、MC式録音機はやっと日本コロムビアのスタジオにセッティングされている。

冷や汗ものだった藤原義江の、「叱られて」「この道」の録音は、日本コロムビア初の電気吹込みレコードとして、昭和三年三月発売された。

❒中山晋平と西條八十

日本ビクターの第一回発売レコードは、昭和二年四月一日、二十七種類三十枚のSP盤が発売されたが、そのなかに中山晋平、野口雨情の「波浮の港」（佐藤千夜子歌）が入っていた。

中山晋平がビクターの専属作曲家になったのは、野口雨情詞の「枯れ芒《すすき》」がようやく長い眠りからさめてヒットしたからだった。それでも、このレコードはビクター発売ではないし、メーカー主導から生まれたわけでもない。

大正十年三月、神田春盛堂から中山晋平作品の歌本が『新作小唄』として出版された。このなかに中山がようやく曲をつけて、タイトルも変えた「船頭小唄（枯れ芒）」が入っ

ていたが、それからは演歌師の絶好のレパートリーになって全国に波及した。

大正十二年、ヒコーキ・レコードから中山歌子・歌で発売されたが、映画化されるほどレコードも売れた。ビクターはこのヒットで、実績のある中山を再評価したことになる。

中山がふたたび雨情とくんだ「波浮の港」が、ビクターの計算どおりに大ヒットしたことで、レコード各社は専属の歌手や作家の発見に熱心になった。それでも「契約」という音楽ビジネスの基本的な約束事に、まだ「証文」のような、うとましさをもっている国だった。

中山晋平は外資系の日本ビクターが発足したことで、ようやくの専属作曲家第一号になったが、それにしても、松井須磨子の死から約十年後のことだった。

日本ビクターの船出から、やがて中山晋平、西條八十の縁《えにし》がはじまる。

西條八十は「当時の中山晋平といえば、日本中の歌謡曲、民謡曲を一人で背負って立っているような存在で、」と書いている。

そんな地位を築いたのは、雑誌『苦樂』に発表した八十の詩、「当世銀座節」を中山がみつけたことにはじまる。

『苦樂』は大正十三年、直木三十五、川口松太郎などが編集にたずさわって創刊した雑誌だが、直木と西條は早稲田の同期生だったので、そんなつながりから寄稿したのかもしれない。

中山晋平と西條八十がはじめて言葉を交わしたのは、たぶん大正十一年の『コドモノクニ』の会だったと思う。

『コドモノクニ』は『赤い鳥』からはじまる児童誌の全盛期に、東京社が創刊した詩と絵と音楽を融合させた絵本だった。

北原白秋、野口雨情、西條八十などの詩に中山晋平、小松耕輔、弘田竜太郎たちが曲をつけたが、発足の年に、詩人、作曲家、画家たちの顔合わせの会があった。この日の記念写真が『中山晋平作曲目録・年譜』（中山卯郎編著）にのっているが、中山は大御所らしく、白秋と八十の間に割って入るように中央に座している。

♩

西條八十はこの会の三年前に、中山晋平が『中央公論』に書いた抱月と須磨子のスキャンダラスな文章を読んでいた。

ふたりの死後、特集「抱月、須磨子合祀の記」が掲載された。

中山晋平のほかに中村吉蔵、伊原青々園の二人も寄稿したが、中山は書生として島村家に住んでいた家族同様のひとだったので、「ある夜の記述」がもっともナマナマしい。

抱月の妻・いち子が夫に疑いをもつようになったころ、外出した夫のあとをつけてきて、密会現場にとつぜんあらわれたことがあった。

目の前でヒステリックに、夫をせめたてる修羅場にたえかねて、須磨子は「私が死んでおわびします」といって、さっさとかえってしまった。須磨子のはげしい気性を知っている抱月は、いったん帰宅してから、本気で自殺するかもしれないと心配しはじめた。

夜になってから、「おまえの責任だ」とでもいったのだろう。いち子とつれだって須磨子の家まで様子を見にいったが、部屋の灯は消えていた。抱月は家にもどってくると二階に駆けあがり、床の間や襖、障子をけとばして錯乱状態になった。

中山が二階に酒をはこんでいくと、抱月はやけになって徳利からラッパ飲みであおった。晩酌をかかさない酒好きだったが、外ではつきあい酒をのむくらいで乱れたことのないひとだった。

「僕は妻と女と両方愛するつもりでいた。女にはできないが、男にはできる」「あれだけのショックに逢《あ》ったのだから女はもう生きているはずがない。死なしてくれ」といって泣きじゃくった。

早稲田時代から島村抱月に敬意をもっていた八十は、「恩人の私生活を、ここまで書くのか」という不快感をもった。そんなこともあって、顔をあわせても挨拶ていどのつき合いだった。

中山晋平は『苦樂』を読んでから、わざわざ淀橋柏木の八十の家までたずねていった。それほどこの詩が気に入っていた。

東京銀座は恐ろしどころ
虎と獅子とが酌に出る
みいちゃんはあちゃん
あがりだよ
ついだリキュウルの
うすなさけ

たとえ百夜来ればとて
チップ二拾銭じゃ
惚れはせぬ

「当世銀座節」は昭和三年七月、佐藤千夜子の歌で発売された。

そのころの西條八十は、早稲田の教壇に立つフランス文学者で、童謡は書いても、本気で歌謡詞に染まる立場ではなかった。それでも「当世銀座節」がヒットしてしまうと、日活の宣伝部長・樋口正美から二つの映画主題歌の依頼があった。

樋口は、八十の友人だった詩人・日夏耿之介の従弟で、以前からつきあいがあったので、引き受けることにした。

ひとつは「マノンレスコオの唄」で昭和三年五月、中山晋平が曲をつけて、日本ビクターから発売された。もうひとつは小デュマ原作を映画化した『椿姫』の主題歌「椿姫の唄」（江口夜詩作曲、淡谷のり子歌）で、コロムビアから発売されている。

余談になるが、この映画から、もう一枚「映画劇レコード」も企画されていた。

人気絶頂の女優・岡田嘉子と共演の竹内良一がセリフを入れ、活弁の谷天郎の語りでつないだ。ところがコロムビアのスタジオでレコーディングが終わったあと、岡田と竹内はそのまま駆け落ちしてしまった。

岡田嘉子のデビューは松井須磨子の最後の舞台になった有楽座の『カルメン』で、セリフもない小娘だった。それから十年たって日活の看板スターになっていたが、俳優の山田隆弥という夫がいた。

この〈駆け落ちスキャンダル〉で、ふたりは映画界から締めだされることになった。それからも、この二人は同棲しながら「岡田嘉子一座」をたちあげて、舞台中心の活動をつづけていた。岡田の人気がいっこうに衰えていないことに目をつけた松竹が、おもしろい企画をかんがえた。

昭和三年一月から、神戸・京都・大阪の各松竹座で、映画の幕間に「岡田嘉子一座」の寸劇『道頓堀行進曲』を演じさせた。この企画があたって、岡田のうたった劇中歌「道頓堀行進曲」まで評判になった。

オリジナルは筑波久仁子（井上起久子）がうたった『道頓堀行進曲』で、松竹楽劇部の座付き脚本家・日比繁次郎が詞をかき、おなじ楽劇部の塩尻清八が作曲している。

岡田嘉子はこの歌をカヴァーしたわけだが、ニットーからレコードまで発売された。

松竹はこの人気に便乗《びんじょう》して、大阪向けの『道頓堀行進曲』、東京向けの『浅草行進曲』

と二つの映画をつくっている。

レコード・メーカー各社も内海一郎、松島詩子などを起用して、詞をかえ、アレンジをかえて、おおくの「道頓堀行進曲」があふれだした。

岡田嘉子という恋おおき女優は、それから十年後に、もういちどマス・メディアにショッキングな話題を提供することになる。

演劇活動をつづけていたころ、早稲田大学ロシア文学科出身の演出家でコミュニストだった杉本良吉と恋におちた。昭和十三年一月、二人は深い雪におおわれたソ連国境をこえて姿を消した。

♫

昭和四年はまだ行進曲ブームが続いていたが、このころ菊地寛の小説『東京行進曲』が雑誌『キング』に連載されていた。日活がこの小説の映画化権をとったので、また日活の樋口正美から、西條八十に主題歌の依頼がきた。

主題歌のイニシアティブはたしかに映画会社にあったが、それにしても、樋口はレコード会社よりも先に、八十に発注している。当時の映画会社は、いまのテレビ局のようにレコード・メーカーは後からついてくるものだと思っていた。

作詞家としての西條八十は、まだフリーの立場なので、この歌がなぜビクターにきまったのか分からないが、「当世銀座節」の流れにのったのだろう。作曲・中山晋平、歌・佐藤千夜子も同じメンバーになった。

八十の第一稿は次のようなものだった。

昔恋しい　銀座の柳
仇な年増を誰が知ろ
ジャズで踊って　リキュールで更けて
あけりゃ彼女の　なみだ雨

中山はこの歌詞を受けとってから、八十に電話をかけてきて「あけりゃ彼女の　なみだ雨」が、どうしても曲に合わないので「あけりゃダンサーの　なみだ雨」に直してほしいといってきた。

八十は「刹那的恋愛で一夜を明かしたモガ（✍4）が朝になって泣くなら解るが、夜が明けるとなぜダンサーが泣くのか解らない」と抵抗したが、最後には折れた。
そのあとに、こんどはビクターの文芸部長・岡庄五から、もういちど訂正の要請があった。フォー・コーラスの「マルクスボーイ」とコロンタインの『赤い月』は、当局からクレームがつく可能性があるので、何とか再考してほしいといってきた。

長い髪して　マルクスボーイ
今日も抱える　赤い月
変わる新宿あの武蔵野の
月もデパートの屋根に出る

八十は、時勢に気をつかったビクターのいいぶんは納得して、それならと、最初の二行をこう直した。

シネマ観ましょか　お茶のみましょか
いっそ　小田急で逃げましょか

ところが発売されてまもなく、小田急からきつい抗議があった。「いっそ 小田急で逃げましょか」の歌詞は、「小田原急行」の社名を省略し、さらに「女と逃げる」などはもってのほかで、「社名に退廃的なイメージを付けた」といってきた。

まだビクターとの話しあいが収まらないうちに、この歌はつまらない懸念をいっきに吹きとばしてしまうほど、空前のヒットになった。

抗議した「小田原急行」は、その後、「小田急」と社名を変更することになったが、この曲はそれほどモウレツな宣伝効果をもたらした。

小田急はおわびと感謝をこめて、西條八十に永久パスをおくったが、八十はこのパスをほとんど靴ベラがわりに使っていた。

◆

一つの曲が大当たりしてメディアの中で暴走しはじめると、文化人といわれる人たちのアレルギーを発症させることがある。その急先鋒が「浅草オペラ」(✍3)の中心人物になった音楽評論家・伊庭孝だった。

NHKラジオ「現代の民衆音楽」で「東京行進曲」を槍玉にあげて、西條の詞の低俗性を容赦《ようしゃ》なく批判したり、読売新聞の〈文芸日曜付録〉でも「軟弱・悪趣味の現代民謡」と攻撃したりした。

八十もさすがに黙っていられず、朝日新聞に「伊庭孝氏に与う ―「東京行進曲」と僕―」を書いて反撃した。

売れすぎたことでこんな騒ぎになったが、八十は正当な印税を受けとっていなかった。専属作曲家の中山は、日本ビクターとビクター出版社から莫大な印税が支払われている。

ところが八十は、まだビクターと正式な専属契約を交わしていなかった。

「当世銀座節」もそうだったが、「これだけ流行った『東京行進曲』のレコードに対し、ビクター会社がわたしに支払った報酬はまえに云ったようにたった三十円だった。」

（『唄の自叙伝』西條八十著）

昭和初期のレコード業界は、作詞家を守ってくれる音楽著作権法もなく、こんな理不尽な裁量がレコード会社にまかされていた時代だった。

❐ビクター、コロムビアの西條八十争奪戦

西條八十と「かなりあ」の碑

創立以来、好調な日本ビクターの文芸部は、ゆるぎない岡庄五体制がつづいていた。

対照的に日本コロムビアは、竹中靖治、鈴木謙作（元・日活の映画監督）、米山正、和田龍男、村松武重と昭和九年までに、五人の文芸部長の交代があった。

岡庄五は、ビクター・トーキング・マシン社の創立時のパートナーでもあった「セール・フレーザー商会」から派遣されたひとだった。

アメリカ生活も長かったので達者な英語をはなし、外人経営者からの信頼もあつかっ

た。中山晋平、西條八十も仕事の延長で、よく木挽町とか築地の待合茶屋につれて行かれたが、「かれの遊びぶりは豪放磊落で、よく飲むが色気らしいものはてんで見せず」(『唄の自叙伝』)決して酒色におぼれない、きれいな遊び方をした。

中山晋平に、「岡 庄五がいる限りビクターを離れることはない」とまでいわせている。日本ビクターの強さは、この岡を中心にした文芸部の力でもあったが、専属作家の柱としての中山晋平、西條八十の存在がおおきかった。

コロムビアには大御所の山田耕作がいたものの、流行歌の主力にはなれない。その差をみせつけられたのが中山、西條コンビの「東京行進曲」であり、「東京音頭」だった。

昭和八年六月に発売された「東京音頭」のレーベルをあらためて眺めてみると、「東京音頭」/唄・勝太郎・三島一声/西條八十詞、中山晋平曲の表示のほかに、小さな文字で〈丸の内音頭替え歌〉の記載がある。

「丸の内音頭」は有楽町の町内会が、田舎のにぎにぎしい盆踊りを東京でも再現して、不景気をふきとばそうと考えて、ビクターに相談した。

この「持ち込み企画」の発案者は「日劇」前のガード沿いにあった小料理屋「富可川」(戦後「お袋の味・爐端」に改名)の経営者、井上忠次郎だった。

中山、西條コンビで「丸の内音頭」が完成すると、初代・花柳寿美に振付を依頼して、白木屋のデザインした水玉模様の浴衣まで売りだした。

昭和七年の夏、日比谷公園野外音楽堂の前に提灯がはりめぐらされて、一週間、有楽町界隈の住民がおどりまくった。

余談になるが、発案者の井上家に戦後までシミのついたボロボロの歌詞がのこっていた。

この歌詞と一緒にビクターから贈られた「東京音頭創作者・井上忠次郎氏に贈る」と刻んだ金メダルと感謝状があった。

それから三十三年後、忠次郎の娘すずさんの長男が、もっと名誉ある金メダルを井上家にもたらした。

昭和四十二年の日本レコード大賞をブルー・コメッツの「ブルー・シャトー」が受賞した。この曲の作曲者でもあり、メンバー（sax、vocal）でもあった井上忠夫は、忠次郎の孫にあたる。

大ヒットした「東京音頭」は、「丸の内音頭」のタイトルと歌詞を変更して、日本全土向けの大規模な音頭ものとして発売している。

日本ビクター文芸部の企画の勝利だったが、歌謡史に残る「さくら音頭」合戦は、続編を狙うレコード・メーカーの商魂からはじまっている。コロムビア、ビクター、キング、ポリドールが昭和九年の発売をめざして競作になった。

ビクターの「さくら音頭」は中山晋平曲、小唄勝太郎、三島一声歌までは「東京音頭」の布陣で、あらたに徳山璉が参加している。

それでも作詞は佐伯孝夫で、コロムビアが本命視していた西條八十はなぜか出馬しなかった。

♫

音頭ブームがビクター指導型になっていたので、コロムビアはどうしてもこの一戦に勝って劣勢を挽回しようとした。

この当時のプロモーションの柱は、映画会社とのタイアップがたよりだった。ビクターは東宝と組み、コロムビアは松竹と組んだ。結果はビクターの圧勝で、コロムビアはビクターのセールスの二〇％にも満たなかった。

コロムビアはこの一曲のために十万円の宣伝予算を組んだといわれている。今の金額にすれば一億円近い破格の宣伝費になるが、それだけに、結果があきらかになると文芸部長の引責へと発展した。

コロムビアは好調なビクターをけん引している西條八十を、どうしてもほしいと思っていた。

八十の獲得はトップからの至上命令になっていたので、この大役を社長秘書のイギリス人、エドワードが粘りづよくやっていた。

そのきっかけをつくったのは「お山の杉の子」を書いた作曲家の佐々木すぐるで、八十の逗留していた鬼怒川温泉までエドワードをつれて行って紹介した。エドワードはそのあとのフォローも忘れていなかった。

八十が強羅ホテルに滞在していることを知ると、箱根まで藤浦洸（作詞家）を派遣して、もういちどコロムビアの熱意を八十につたえている。

そのころの藤浦洸はまだ無名で、「個人秘書のようにエドワードに付いてうろうろしていた」(『ぼくの音楽人生』)と服部良一は書いている。

藤浦洸は明治三十一年生まれで服部良一より九歳年上だった。

同志社大学を卒業後上京したが、浅草オペラ(✍3)に熱中してペラゴロ(浅草オペラの取り巻きファン)になってから、伊庭孝に師事して、舞踏劇『ラ・カーニバル』などに出演している。

藤浦は四、五年、浅草に入りびたってから、演劇に見切りをつけて慶応義塾大学に入って小説家を目指したが、これも挫折している。

それからは文藝春秋社の若手社員、西村晋一、田中直樹などが中心になって発行した『青巻』の同人になった。この同人誌に戯曲を発表した蘆原英了は、藤浦は「月五円の同人費も払わず、一編の作品も発表しなかった」(『私の半自叙伝』)と書いている。

エドワードが西條八十へのメッセージをたくして、藤浦洸を代理人として箱根のホテルにおくったのは、おなじ作詞家同士としての人選ではない。当時の藤浦はエドワードのポケット・マネートで雇われていた個人秘書で、雑用係に近かった。

♬

『コロムビア五十年史』に、昭和七年九月九日、西條八十コロムビア入社の記載があるが「専属」の文字はない。これには以下の事情があった。

西條八十は熱心なエドワードに、いつか好意をもつようになった。

そんな心のゆれもあって、契約更改の時期がせまってくるとビクターに印税の改善をせまっていた。

「それはわたしの唄が、『東京行進曲』以来あれほど数多くヒットしたにも関わらず、会社は新契約に於いてほとんどわたしの専属条件を改善してくれない。しかも、作曲家の中には現にわたしの印税の倍額を貰っている人がいた」(『唄の自叙伝』)

この倍額もらっていた作曲家は中山晋平しかいないが、ビクターはいつまでたっても八十の訴えを認めようとしなかった。それでも最悪の事態だけはさけたかったのだろう。とうとう思いきった妥協案を提示した。

印税アップは同意できないが「専属契約を残したまま、一年間だけコロムビアとの仕事を認める」と、異例の回答をした。

ビクターは、コロムビアとの仕事を一年間みとめて、中山晋平とのコンビが一時的に解消されれば、ヒットを出せないでもどってくるだろう。そんな甘い読みがあったのかもしれない。

『コロムビア五十年史』の「昭和七年九月九日、西條八十入社」の記載は、この奇妙な約束の産物だった。『五十年史』の編集者は専属契約とまでは書けなかったのだ。でも、この一年間は、フリー・ランサーとしての仕事ではない。

八十の自叙傳にも、

「わたしはこの『サーカスの唄』『十九の春』の二つの花火をうち揚げて、コロムビヤとの契約を終わった」と書いているので契約があったことは確かで、金銭感覚のはっきりしていた八十は、一年間でも契約金はしっかりもらっていた。

たった一年でコロムビアに立派な実績をのこしてから、八十はまたビクターにもどって「東京音頭」を書いた。それだけに、この記録的な大ヒットはますます契約条件への不満をつのらせることになった。

八十の精神状態はこんなものだったから、ビクターから「さくら音頭」の話があっても素直に受けたかどうか分からない。それほどこじれていたのだ。

西條八十は作詞家として名を成してからも、作曲家と距離のある印税にこだわりつづけた。昭和初期の歌づくりは、ほとんどが歌詞先行で、曲を後付けするケースだったが、どういうわけか作詞家は作曲家より下に見られていた時代だった。

日本ビクターとの交渉で、八十はあくまでもトップ・クラスの作曲家と同等の印税を主張しつづけたが、中山晋平に気をつかう日本ビクターは、どうしても認めてくれなかった。

コロムビアは西條八十の印税に関する移籍条件をすべて飲んで、「十万円のプレミアムをつけましょう」とまで言ってきた。八十の心はコロムビアの熱意と好条件にかたむきかけていた。それでもビクターの文芸部長、岡庄五とはうまくいっていたし、住み馴れたビクターは去りがたかった。

コロムビアに入る決断をする約六ケ月まえ、昭和十年四月二十五日に八十と中山晋平は信州湯田中に旅している。このとき、中山と八十は移籍問題を話しあえる時間が充分あったはずだ。

それでも中山は淡泊だった。自分あっての西條八十である、という自負が多少はあったのだろう。熱心に引きとめてくれると思っていた中山が、冷静に反応したことで、八十はとうとうコロムビア入りを決意した。

西條八十が契約書にサインする日は、エドワードをはじめコロムビアの文芸部首脳がプレゼントまで用意して待っていた。

ところが、三十分すぎても一時間すぎても現われなかった。

それからやっと本人から電話があり、「今、中山さんの家にいるが、引きとめられて解放してもらえそうもない。もうしわけないが今回は断念してもえませんか」といってきた。中山晋平の目のまえで電話をかけている様子だった。

コロムビアの応接室で八十を待っていたスタッフの中に、テイチクからコロムビアにもどっていた川崎清もいた。八十の電話を受けたあと、エドワードがこらえきれずに涙をながしていたのを見ている。

　中山晋平は土壇場になってから、私情をかなぐり捨て「どうしても残ってほしい」と八十に懇願したのだろうか。それとも、岡 庄五が中山を動員してまで最後の説得にあたったのだろうか。ビクター側の資料からも、これ以上の真相はおえなかった。

それでも西條八十の最後の決断は、エドワードとの約束を反故《ほご》にすることはなかった。

「この外国人が自分の値打ちを第一に買ってくれて四箇年にもわたって期待し交渉しつづけてきたことを思うとせめてこの人にだけには幻滅させたくないと思うのであった」

（『唄の自叙傳』）

『日蓄三十年史』巻尾の年表には、ようやく「昭和十年十月に西條八十専属契約締結」の記載がある。

❐ 古賀政男の登場

古賀政男が世に出るきっかけをつくったのは、「当世銀座節」「東京行進曲」をうたった佐藤千夜子だった。

歌謡史の伝説をあらためてたどると、明治大学マンドリン倶楽部のリーダーになっていた古賀政男は、定期演奏会が近くなると入場券の売り上げで頭をなやませていた。古賀にとって昭和三年秋の定期演奏会は在学中の最後だったので、それだけになんとか成功させたかった。

そんな思いが、フリー・トーキングのミーティングで、古賀にこんなことを言わせた。

入社当時の古賀政男と藤山一郎

「有名な歌手がゲスト出演してくれたら満員になるだろう」

世間知らずの学生たちは、〈その場の思いつき〉にも本気で反応して、まっさきに佐藤千夜子の名があがった。

このころ、スター歌手といえるのは彼女しかいなかったのだ。

まだ芸能人のスケジュールを管理する「プロダクション」さえ存在しない時代で、それからの出演依頼さえ、どうしていいか分からなかった。

恐いものしらずの学生たちはアポイントメントもとらないで、佐藤千夜子の住所だけをたよりに訪ねていった。

スケジュールに追われているスターしか知らない現代人には、信じがたいことだが、佐藤千夜子はたまたま自宅にいた。

そのあとの、もう一つの奇跡さえ、古賀政男はあっさりと書いている。

「ものは試しとお願いに行ったところが、案に相違して、「え、よござんすとも」と、いとも気軽に引き受けてくださった」（「自傳　わが心の歌」）

古賀の自伝では、昭和三年十一月二十五日の日本青年館で「明大マンドリン・クラブ定期演奏会」が開かれ、佐藤千夜子が「影を慕いて」を歌ったことになっている。

しかし『明大マンドリン・クラブ五十年史』のプログラムでは、この日の会場は明治大学記念館で、千夜子の歌と演奏曲目にも「影を慕いて」は載っていない。

「五十年史」によると、昭和四年六月二十二日の第十四回定期演奏会（赤坂溜池三会堂）に佐藤千夜子が、もういちど出演している。

このときの古賀はもう卒業して、マンドリン・クラブの指導者になっていたが、この日、ギター合奏で「影を慕いて」が演奏されている。

ここから、古賀の自伝にもどってくると話がつながってくる。

演奏会が終わってから、新宿の喫茶店で〈佐藤千夜子を囲む会〉があった。その場で「あの曲はとてもいいから、わたしに歌わせて」といいだしたのは千夜子だった。

「私が会社に話してレコードに入れてあげましょう。でもレコードは両面。もう一曲用意しなさい。」（『私の履歴書』古賀政男）

このはなしは、同年の五月発売された「東京行進曲」（西條八十詩・中山晋平曲・佐藤千夜子歌）が記録的な大ヒットになった直後のことで、日本ビクターは佐藤千夜子が何を言いだしてもイヤとはいえなかっただろう。

「古賀政男記念館」の公式年譜によると昭和四年十二月に「文のかほり」「娘心も」など六曲の古賀の曲が、佐藤千夜子歌唱でレコーディングされたと記録されている。その後のビクター・レコードからの発売日も、記念館の公式年譜が信頼できる。

昭和五年三月　「文のかおり」（古賀政男詞、曲）、「娘心も」（浜田広介詞、古賀曲）
昭和六年一月　「影を慕いて」（古賀政男詞、曲）、「日本橋から」（浜田広介詞、古賀曲）
昭和六年六月　「片想い」（浜田広介作詞、古賀曲）、「風の鈴蘭」（浜田広介詞、古賀曲）

ここまで、おぜん立てがそろっていたのに、なぜビクターは古賀政男と専属作家契約をしなかったのか。そこには〈人気絶頂期の佐藤千夜子が歌っても売れなかった〉という、シビアな評価が入っている。

♩

昭和六年一月の古賀政男は社会人になって一年がすぎていた。最初のレコードが発売されて十か月たっても、古賀の生活になんの変化もないまま年を越した。

レコード業界の入り口に立っていた古賀は、二枚目のレコード「影を慕いて」の発売を迎えても、わずかなイニシャル（初回プレス）が市場に出ていくのを眺めているだけだった。

音楽ソフトの仕事は、そんな状況のなかでも、まるで違う感性との出会いが、環境を一変させることがある。大きな仕事をしたひとは、才能のほかに運も持っている。

古賀政男の場合は、ひとつだけ特別なことがあった。

それは古賀の感性を拾い上げた人物が、古賀を見捨てたビクターの、ライバル会社の文芸部長だったことだ。

このころの流行歌は日本ビクターの独走状態で、もし古賀政男を専属としておさえていたら、他のメーカーの、手の届かない存在になっていただろう。

目の前にあった金の卵は、もっとも手ごわいライバルがさらっていって、日本ビクターの独走に歯止めがかかることになる。

日本コロムビアの米山正が古賀の才能に注目したのは、ビクター盤「影を慕いて」の発売日（昭和六年一月）を考えれば、昭和六年二月以降になる。米山は、たった一枚のレコードを聴いただけで、無名の作曲家の才能にこだわった。

古賀の自伝に「米山さんから連絡があって銀座千疋屋のパーラーでお目にかかることになった」とあるが、すくなくとも、とりあえず会ってみようという扱いではない。

明治大学を卒業してからの古賀は、浅草にあった斎藤楽器店の経営する「帝京音楽院」のマンドリン講師になっている。マンドリンのおかげで第一次大戦後の大不況の時代でも、就職活動で苦労することはなかった。

米山から入社条件をきかれた古賀は、「まだ作曲家として自信がないので、社員として採用してほしい」と本音を吐いてから、「八十円もあれば充分です」といっている。

この会話からも、ビクター盤のセールスが、痛々しいほど古賀を弱気にさせていたことがわかる。米山は「私に任せておきなさい」とだけいったが、もういちど会ったとき見せてくれたコロムビアの文書は、「契約書」ではなく「辞令」と書いてあった。

古賀の記憶にのこっているのは「職種・作曲家」「社員待遇、月給は百二十円」で、「月に一～二曲、作曲すること」が義務づけられていた。

提示された「月給百二十円」は、早稲田、慶応大学の年間授業料が百四十円の時代で、古賀の自伝に書いてあるとおり、たしかに当時の一流企業の課長級の給与に匹敵した。

ここからは、できるだけ客観的な複数の資料から、古賀の生いたちを追ってみることにする。

古賀政男（本名・古賀正夫）は明治三十七年（１９０４）、福岡県三猪郡田口村の貧しい瀬戸物行商人の家に生まれた。六男、二女（一女は生後まもなく死亡）の八人兄弟の六番目（五男）で、父・古賀喜太郎、四十五歳の子だった。

五歳のとき父親があっけなく死んだので、小学校二年のとき、とうとう母親が家をひきはらう決意をした。たよって行ったのは朝鮮（韓国）で働いていた長兄の福太郎で、「仁川きっての鉄問屋であった」徳本商店の上席番頭になっていた。

仁川は、いまでは人口約三百万のソウルのベッドタウンだが、中華街もあって、異文化のながれこんだ港湾都市の環境も、横浜に似ている。日本企業は明治四十三年（１９１０）の韓国併合から、仁川府として朝鮮総督府に保護されていたが、徳本商店もそのなかの店舗のひとつだった。金物問屋といっても金物、鉄材から兵器、火薬まであつかっていた。

大正元年、八歳の古賀は、母と姉と三才の弟といっしょに海をわたって、仁川公立尋常高等小学校に転校した。

「初夏の仁川は素晴らしかった。木々の鮮やかな新緑にまじって白いアカシアの花が咲くと、山々はエメラルド・グリーンになる。（中略）時おり群青の海から乳色の霧が這いあがってきて、街を閉ざすことがあり、霧笛がしきりに響いた。

アカシアの
白い花が咲く仁川の
海は恋しも　町はなつかし」（『自傳・わが心の歌』）

こんな仁川の景観も、少年時代の古賀政男の感性を育てていた。

それでも第一次世界大戦下の世相は、はげしく動いていた。長兄の福太郎は大店の上席番頭にまで出世したひとなので、商才もあったのだろう。

古賀が小学校を卒業するころは「のれん分け」してもらって京城・福本商店を開店したので、古賀は京城善隣商業に入学した。それからまもなく、日本は第一次世界大戦に参戦して一時的な活況の時代になる。

この好景気に便乗して福太郎が大儲けをした。

これを資金にして大阪に進出したのが大阪・徳本商店だった。次兄、三兄、四兄も次々とこの店で働くことになったが、古賀はまだ卒業前なので京城にのこった。

はじめて西洋楽器との出会いになったマンドリンが、大阪の兄から送られてきたのは、そのころだった。

「私は喜びにふるえる手でトレモロをかき鳴らし、改めてマンドリンの威力を知った。」

そんな学校生活も、卒業のときが来れば猶予期間も終わる。そのごの進路は、〈大阪・徳本商店の見習い〉になることしかなかった。

「大阪人は眼ざめが早い。四季を通じて四時を過ぎると、早くも町のざわめきが地鳴りのように私の枕元につたわってきた。私は急いで起き、角帯を締める。」

仕事がつらいと好きなものへの思い入れは、さらに高じてくる。わずかな時間を見つけてマンドリンを抱いていたが、宝塚歌劇団に凝りだしたのもこの時代だった。少ない小遣いをこつこつと溜めて、隔週一回の休日は、かならず天井桟敷に通っていた。

「宝塚が私をとりこにしたのは、その歌とオーケストラであった」（『自傳・わが心の歌』）

宝塚のオーケストラは十六名編成（ヴァイオリン4、ヴィオラ2、チェロ、ベース、クラリネット2、トランペット2、フルート、オーボエ、ホルン、ドラム）で、当時としては本格的なオーケストラだった。

少女歌劇への〈あこがれ〉は音楽だけではない。古賀の女性観におおきな影響をあたえている。作曲家として成功してからの古賀は、松竹少女歌劇出身の歌手・小林千代子にひかれたが、そのあとも同じＳＫＤの夢野里子（中村千代子）と結婚することになる。

♠

徳本商店にもどってくると、やみがたい向学心と音楽への執念を持ちつづけている古賀政男がいて、母の遠戚にあたる草刈良介の存在が大きくなってくる。

遠戚といっても、古賀家とはくらべようもない資産家で、草刈家は仁川仲町に農具問屋として大店を構えていた。長子・良介は、三歳年上で、古賀が大阪にきたころは、すでに上京して早稲田大学に入学していた。

古賀は大阪から、代々木千駄ケ谷町の下宿先にたびたび手紙を送っている。「苦学しても上京して学業に就きたい」「金物屋の小僧で終わりたくない」草刈は、まだ世間知らずの古賀が無謀な行動をおこすのが怖かったのだろう。

「虚偽と罪悪でにごりきっている東京。上京する人間は、みんな一つの目的を持って出てくるが、この無慈悲な東京と戦い抜くことが出来る人は千人に一人もいないのです」

（『自傳　わが心の歌』）

こんなきびしい手紙をうけとっても古賀の野心が細ることはなかった。大阪にきてから二年目の春のことだった。

閉店のあとで、兄たちがいつもミーティングをもつ時間まで待っていた。それから古びたバスケットに身の回りのものだけを詰め、一方の手にマンドリン・ケースをしっかりと下げて裏木戸をぬけた。

夜汽車が東京駅のプラットホームについたとき、久留米絣の袷に木綿袴のあか抜けない青年は、夢が押しつぶされそうな不安におそわれていたのだろう。財布にはたった六十円しかのこっていなかった。

大正十二年三月、古賀政男、二十歳の運命を分けた転機だった。

古賀の自伝は、上京してからの窮乏生活をたんねんに書いている。それでも音楽志望のマンドリン少年が、やっと東京に出てきて「なぜ、商学部に入学したのか」。こんな読者の重大な疑問には、何ひとつ答えてくれない。

それだけに、「上京してからも兄福太郎の援助をうけていたので、選択肢は「商学部」しかなかった」という説も説得力をもってくる。その後、古賀を追いかけるように上京した弟・治朗も同居することになるが、この弟は福太郎からの援助をうけている。

この謎めいた「商学部」入学は、後年レコード業界に入り、音楽学校を卒業した人たちがあふれている環境の中で、古賀のコンプレックスを育てていた。

仮説として、音楽学校に進学した古賀を考えてみると、〈音楽学校出身の古賀政男〉は、大衆音楽の作曲家として歌謡史に名を刻むことができたのだろうか。

山田耕筰は古賀が作曲家として成功してから、和声学を教えてほしいとたのまれたことがあった。そのときの山田は、「あなたはそんなものを学ぶ必要はありませんと」といって断っている。

たしかに、明大マンドリン・クラブは、音楽学校では得ることがない大衆性と幸運を古賀政男にもたらしていた。

❒ 古関裕而の光と影

古関裕而

古関裕而が流行歌の作曲家を目指して上京したのは、昭和五年の九月のことだった。自伝のなかに転載された菊田一夫との対談で、上京のきっかけを訊《き》かれた古関は、こう答えている。

「昭和五年で二十一か二だった。その前にコロムビア・レコードに楽譜を送ったら何と思ったかチョット来いというので上京したら、『専属にならないか』という話だったので銀行で帳簿つけなんてつまらないから早速やめっちまった。」

（『鐘よ鳴り響け』〈菊田一夫氏との対談〉）

この答えは、そのころの古関のだいじな背景が省略されている。「後で知ったのだが、コロムビアの顧問であった山田耕筰先生が推薦してくださったのである」(『鐘よ鳴り響け』)

もう一つは、十八歳の新妻をともなって上京したことだ。福島から列車にのった古関裕而の昭和五年(1930)九月は、前年からつづいている〈三つの大きな異変〉に遭遇していた。

まだ二十歳になったばかりの青年の、わずか一年間(昭和四年の初夏から昭和五年の秋)は、それまでのおだやかな海から、とつぜん、荒波にのり入れた小舟のように翻弄されていた。

いいかえれば、古関の人生を決定づけた、さまざまな要素が「この一年間に凝縮されている」といっても言い過ぎではない。

異変のきっかけは、定期購読していたイギリスの音楽雑誌「CHESTERIAN」(楽譜出版社J.W.CHESTER.LTD発行、1921・3月号)の「管弦楽作品の懸賞募集」に応募したことだ。同年七月に、応募作品(「竹取物語」他四曲)をロンドン発送したが、五曲すべてが二等に入賞したとロンドンから通知があった。

地元福島の「川俣銀行」で不得手なそろばんをはじいていた目立たない青年は、五年終了の福島商業高校を、六年かけて卒業した。この落第でもわかるように「そろばん玉より、音符のタマのほうが好き」な少年期だった。古賀政男との共通点はたった一つ、正規の音楽教育を全く受けていないことだ。そんな福島の一青年が、とつぜんクラシック音楽の世界で、しかも国際的な作曲コンクールの場で、日本人初の二位に入賞した。

これを青天の霹靂といわずになんといおう。

なにごとにも謙虚でうぶな古関青年も、この時ばかりは福島商業時代の恩師・丹治嘉市に詳細な報告をまじえた便りを書いている。この手紙からも、成人したばかりの多感な青年のおさえきれない高揚感がつたわってくる。

「先生もご承知の通り、わたしもいよいよ今度、本当に音楽家になるため、明年二月末渡英いたします。」

「同出版社の経営になるINTERNATIONAL MUSICAL COMPOSERS ASSOCIATIONの会員になることができました。（中略）同協会のプレジデントは現代音楽の雄 IGOR STRAVINSKII です。会員には独乙のシュトラウス、オーストリヤのシェーンベルヒ、仏のラヴェル、オスガー、ロミー、英のクーセンス、バッタス等、現代音楽の一流の作曲家が入って居ます。日本では山田耕筰だけです。これらの名作曲家に教えを受けることができる私は非常に幸福です。協会からすでに旅費、及びその他の費用として、£四〇〇の金が送金されてきました。」

「なおうれしいことに、わたしの入選曲中、随一の舞踏音楽「竹取物語」が英国コロムビヤ・レコードに明年七月頃、グーセンス指揮で、ロンドン・フィル・ハーモニック・ソサイティが、入れてくれる契約になりました。十二吋両面四枚続き。

今、私は非常に多忙です。仏語と露語を勉強しています。渡英するときはシベリヤ経由で行きます。」（いずれも、昭和四年十二月八日付、丹治嘉市への手紙より）

長い手紙から注目すべきところだけ抜粋したのは、三つの重要なことが既成の事実として報告されているからだ。

1．主催の協会から旅費及びその他の費用として四〇〇ポンドが、すでに送られてきたこと。（「送金されてきました。」と過去形で書かれている）

2．英国コロンビアが一九三一年七月ごろ『竹取物語』をグーセンス指揮のロンドン・フィルでレコーディングしてくれる契約になったこと。

3. 来年二月、シベリア経由で渡英して、翌年の一月に帰国すること。

それからの、二度目のおおきな異変は、この手紙から一か月後、翌年一月のことだった。国際的な「作曲コンクール二位入賞」の快挙が「福島民報新聞」などの地方紙、中央紙もふくめた、各新聞に大々的に報じられた。

丹治嘉市への手紙にも、入賞と渡英については「何卒《なにとぞ》、秘密をお守り下さる様。」と重ねて書いている。どこからどう漏れたのか、この記事の出どころはいまだに不明だが、毎日、読売などは〈福島発〉となっている。

それからは全国の読者から、おおくの手紙が送られてきた。そのなかで、古関が唯一、返信を書いたのが豊橋市の内山金子《かねこ》宛てだった。

たぶん金子は名古屋でも発売されていた大阪毎日新聞を読んだのだろう。ファン・レターからペン・フレンドになったふたりの手紙は、いつかラブ・レターに発展して恋愛関係になった。

古関裕而記念館に公開された昭和五年（1930）四月二十五日付、内山金子宛の手紙は「お写真をいただいてうれしくて嬉しくて」から、はじまる。

「お写真を前にしてお手紙を読むと、貴女のそばにいて、お話をするようです。そしてあなたの手紙から貴女のお香《にお》いが感じられます。確実に。本当に貴女の側にいる様です。交響曲「ファンタジア」着々と進んでいます。前に書き上げたメロディーをテーマにした曲です。あなたに捧ぐる曲です。自分の心血を注いで完成を急いでいます。一九三〇年なんと幸福な年でしょう。あなたが恋しくて、恋しくて心が躍ります。

私の恋しき　クララ・シューマン　内山金子様
作曲家　ロバート・シューマン　古関勇治より」

ドイツの大作曲家ロベルト・シューマンとピアニストの妻クララとの愛を自分たちにおきかえた、子供っぽいこの手紙からは、まだ二十歳の、初恋におぼれている青年の姿だけが浮かんでくる。

それでも、この日から四日後に送られてきた便せん七枚の手紙からは、四日前（四月二十五日付の手紙）までは、まだロンドン行きをあきらめていなかったことがわかってくる。

この手紙は、ロンドン留学と金子への恋の選択を迫られ、容赦ない時間のなかで苦しみぬいた日々を、やっと語りはじめている。

「金子さん、あなたには、永久に、この三か月の苦しみを、お知らせしないと思ったのですが・・・、二、三日中にお知らせします。自分が生まれて以来、経験したことのない精神上の苦しみ恋のもだえ、自分一人で苦しみ、自分一人で、なぐさめました。」

「洋行、貴女に別れるかと思ふと、なんだか、行きたく、なくなりました。貴女の傍に、いつまでもいたい、いつまでも、いつまでも離れずにいたい。

英国の作曲家協会との契約は、五年以上です。

五年間。あまりにも長いです。五年間に二人は、どうなるのでしょう。」

恩師への手紙では「二月出発~明年一月帰福」と一年間の渡英だったはずだが、ここでは五年以上の契約になっている。

当時の古関の語学力を考えても、契約内容をチェックしてくれる人物いて、交渉がすすんでいたのだろう。ふつうに推測すれば、援けてくれたのは丹治嘉市の手紙にも名前がでてくる従兄の大島俊一（英大使館の秘書官補）しか考えられない。

とにかく残された資料だけでは追いきれない不明な点がおおすぎるが、「二、三日中にお知らせします」は、この手紙のまえに「渡英の断念」の意思を仲介人に伝えた、と理解してもいいのだろう。

自伝の年譜では、二人の結婚は昭和五年六月一日になっている。

古関は、この手紙（四月二十九日付）から一か月もたたないうちに豊橋の内山金子をたずねていったが、そのまま福島までつれて帰った。


この時点で〈国際音楽祭の入賞にともなう、三つの重要なアイテム〉は、すべて消滅している。

送られてきた渡航経費はすべて返送したのだろうか。

あんなにも心躍らせていたロンドン留学も、契約条件の中に明記されていたはずの「ロンドン・フィルによる『竹取物語』のレコーディング」も、すべて「恋」のためだけで棒に振ってしまったのだろうか。

こんなぼくの憶測も、これ以上は内山金子の存在を無視して考えることはできない。

まだ十八歳だった女性に、多くを期待するのは酷だろうが、彼女次第で、いや彼女の影響力次第で、古関のロンドンに行きの可能性は残されていたとおもう。

だからこそ、

「内山金子が、渡英についてどんな意見を持っていたのか」に興味はつきない。

そして最後の異変は、日本コロムビアから上京をうながす連絡があったことだ。

このときの古関は、家庭を持った作曲家として、流行歌に活路を見いだすふんぎりがついていたのだろう。

昨年の十月に福島市の古関裕而記念館をたずねたが、上野から東北新幹線にのると一時間四十分で福島駅についた。

昭和初期の古関夫妻をのせた東北本線は、当時の時刻表（『汽車時間表』第六巻第十号／昭和五年十月一日発行）からタイムスリップしてみると、福島からＡＭ五時五十五分（宇都宮経由）にのったとしても、ＰＭ一時三十七分に、ようやく上野につく。

この長い七時間四十分に、古関は何を考えていたのだろうか。

菊田一夫との対談で語った、コロムビアが「チョット来いというので上京した」というほど、甘い新婚気分の旅ではなかったはずだ。

十八歳の金子の両親にも不安がつのっていた。金子の姉〈二女〉市田清子はコロムビアとの専属契約がととのったとき「母は涙ながらに仏様に報告していました」と回想している

「生家は福島市の目抜き通り、大町にあった。今では面影がないが、そこで代々『喜多三』と号する呉服屋を営んでいた。番頭、小僧が十数名，明治末期に、東北には仙台に次いで二台目というナショナル金銭登録機をでんと店頭に備え付け、市内の有数の老舗として繁盛していた」（『鐘よ 鳴り響け』）

古関裕而は、大店の長男（本名・古関勇治・明治四十二年〈1909〉八月十一日）として、恵まれた環境のなかで生まれた。父親は大正初期から貴重品の蓄音機を購入してレコード鑑賞を楽しんでいたので、民謡や吹奏楽を子守歌のように聴いていた。

音楽に目ざめたのは、母親がさがしてきたオモチャのような卓上ピアノだった。

それでも〈黒鍵があり三オクターブくらい弾けた〉ので、かなり高価なものだったの

だろう。小学校を卒業するころは楽譜を自由に読めるようになり、思いついたメロディーを五線紙に書いたりしていた。

時代も福島の町も、まだピアノ教室にかよえるほど音楽環境はととのっていない。大正から昭和にかけて、ハーモニカという手ごろな楽器が、多くの少年に音楽への目を開かせた。古賀政男、服部良一、吉田正も最初に手にした楽器はハーモニカだった。

勇治少年の才能を育てていたのは、「福島ハーモニカ・ソサエティー」と地元のクラシック音楽愛好家たちが設立した「火の鳥の会」の存在だった。

福島商業学校に入学した翌年、十四歳の勇治は「福島ハーモニカ・ソサエティー」に参加している。

この会は、ただのアマチュア集団ではない。

「創始者の橘登とその弟の正春はともにハーモニカ吹奏で全国優勝を果たし、当時の日本最高レベルの演奏能力と知名度を誇っていた。」

「橘登の家には常時二百名近い弟子が出入りし、その中から六〇名の演奏会メンバーが選ばれ」（『古関裕而物語』）

福商の六年先輩だった橘登（たちばなのぼる）は、熱心な後輩の少年を、会員ではなくゲストあつかいで指導したのではないだろうか。

古関の自伝は、卒業した年の入会を「念願かなって」と書いているが、そんな背景を示唆している言葉なのだろう。

定期的なレコード・コンサートと不定期の小規模コンサートを主催した『火の鳥の会』にしても、十六歳から参加した古関以外の会員は、ほとんどが音楽教師や県庁の役人だった。

音楽的に早熟だった勇治少年は、こんな環境の中で、ドビュッシー、ラヴェル、ストラヴィンスキー、ムソルグスキーなどの近代音楽に出会い、かたわら山田耕筰の『作曲法』を擦り切れるほど読んで、山田にファン・レターを送ったりしていた。

ハーモニカといってもいろんな種類がある。そのうちオーケストラ用のスコアをハーモニカ用に書き直す作業をはじめた。

ようやく「福島ハーモニカ・ソサエティー」に入会したのは福商を出て「川俣銀行」に入った年だった。このころから、「音楽ノート」に古関裕而のペンネームをのこしている。

「ハーモニカ・ソサイティーに入会して間もなく私は指揮を担当した」

開催日は明記されていないが、「入会して間もなく」から推考すれば、昭和三年五月二十七日の「定期演奏会」（福島公会堂）の日になる。リーダーの橘登から、ストラヴィンスキーの「火の鳥」の編曲と指揮を任されていた。

『火の鳥』を演奏したときなどは、観客から歓声が上がり、大変な反響があったと記憶している。」（『鐘よ 鳴り響け』）

古関の自伝は、謙虚にたんたんと伝えているが、この短い表現からも、演奏後のスタンディング・オベーションと聴衆の盛大な拍手がきこえてくる。

♤

自伝にある、生家の「福島市の目抜き通り、大町」は、いまでは福島駅前からまっすぐに伸びている〈レンガ通り〉で、四〇〇メートルほど歩くと「古関裕而生誕の地記念碑」が建っている。時計つきの記念碑から、九時、一二時、一五時の三回、「さくらんぼ大将」「とんがり帽子」「阿武隈の歌」のメロディーが流れてくる。

こんな一等地に店を構えていた老舗の呉服店が、とつぜん店をたたんだきっかけは、ひとのいい父親が、多額の融資を受けた知人の保証人になったことにはじまる。

「父はその後、京染の中継ぎを開業した。十数人の使用人もいなくなり、家はひっそりとしたものであった。だがその仕事も間もなくやめて、父は好きな謡曲ばかり歌うようになり、気分のいい時は日がな一日宝生流をうなっていた。」（『鐘よ 鳴り響け』）

〈呉服屋　喜多三〉は、このころはもう見る影もなく、福島市新町七〇番地に転居した。それでも家系が古関を救っている。

母親の実家は多額納税者として貴族院議員をつとめた資産家で、叔父が「川俣銀行」を経営していた。

家を継ぐこともできなくなった勇治は、福島市から二〇キロ離れている小さな町の銀行員になった。

川俣町は羽二重《はぶたえ》の産地として有名だった。ナイロンが発明されるまでは日本の特産品としてアメリカに輸出され、なまめかしい絹の靴下になった。

「小さな町の小さな銀行であるから、行員も四、五名で、平日はのんびりしたものだった。だが週に一度、絹と生糸の市《いち》が立つ時は、銀行の中は人で埋まり、終日大変な騒ぎであった。」

こんな田舎の一銀行員が、チェスター音楽出版の作曲コンクールに応募したのは、「福島ハーモニカ・ソサエティー」の定期演奏会から約一年しか経っていない。

それからまた、回り舞台のように二十一歳の人生が変わる。

ロンドン留学より内山金子をえらんだ青年は、プロの作曲家として大衆からきびしい評価を受けるレコード業界に入った。

「上京した私たちは阿佐ヶ谷にある妻の姉の家に部屋を借りて住んだ」

日本コロムビアの長い歴史のなかでも、二十一歳の作曲家と専属契約を交わしたのは、たぶん最年少の記録ではないだろうか。

唯一の実績はクラシックの「作曲コンクール入賞」だけで、流行歌の世界ではなんの実績にもならない。それだけに月給三百円はアドバンス（advance 印税の前払金）とはいえ、古賀政男の月給一二〇円と比べても、倍以上の厚遇になる。

学生時代から師事していた山田耕筰（日本コロムビア顧問）の大きな影響力があったとしか考えられないことだった。

「私がコロンビア専属になったころ、古賀政男さんは既に社員として入社していた。ストップウォッチ片手に吹き込みの記録などを担当していた。私のレコーディングにも幾度か立ち会ってくれたことがある。」（『鐘よ 鳴り響け／古関裕而著』）

♬

古賀政男の入社は昭和六年二月以降で、古関の入社より半年以上もおくれている。

それでもコロムビアでのデビュー作は昭和六年五月一日の「乙女心」（鹿山鶯村詞・関種子歌）で、古関の「福島行進曲」とほぼ同時期になった。

そのごの古賀政男は、六月「キャンプ小唄」、八月「酒は涙か溜息か」、十二月「丘を越えて」とヒット曲を連発している。

スタジオでストップウォッチをもってうろうろしていた時期は、せいぜい二か月くらいで、あっという間に新進作曲家としてかけ上がっている。

古賀政男の伝記からは、対照的に深刻な専属作曲家、古関裕而の状況が浮かんでくる。

「古関君は根っからの芸術家であり、内省的な性格の持ち主であった。私が活躍をはじめると、彼はすぐ壁にぶつかってスランプに陥ってしまった。江口君が入社したとき古関君は再契約の時期にさしかかっていたが、会社が古関君と再契約しない方針だという噂がどこからともなく流れてきた。私が確かめてみると、噂はどうも本当のようであった。」（『自伝 わが心の歌』）

江口君とは、コロムビアが昭和八年ポリドールから引きぬいた作曲家・江口夜詩のことで、この年にさっそく「十九の春」（西條八十詞・ミス・コロムビア歌）でビッグ・ヒットを出している。

古賀より一足先に入社したはずの古関は、昭和五年からの四年間、一曲のヒット曲も書けなかった。昭和六年に書いた早稲田の応援歌「紺碧の空」は、いまでは古関の代表作の一つになっているが、レコード・セールスには、ほとんど貢献していない。

デビュー作「福島行進曲」は、ご当地ソングのような福島時代の曲の焼き直しだった。それからも、北原白秋の「平右エ門」、

へのへのへのへいいねもさま

へのへので　いねこいた

こんなコミックな詩に曲をつけてみたり、「日米野球行進曲」の作曲など、自分の好きなことをして楽しんでいるようにも見える。

古賀が書いている「古関君は根っからの芸術家であり、内省的な性格の持ち主であった」は、少しも誉め言葉になっていない。クラシックから出発したアマチュアっぽい若い作曲家の姿を、はからずも言いあてていた。

入社以来、いいディレクターにめぐり合っていない不幸もあったのだろうが、流行歌の作曲家・古関裕而の視野に、まだ大衆は見えていなかった。

四年間、がまんしつづけたコロムビアも、このまま放置できないところまで来ていた。日本コロムビアの主要なポストは英米コロムビアから派遣されている。古関の月給の三百円は、あくまでもアドヴァンスであって印税のリクープ対象として支払われている。ヒット曲がでなければ、借金と同じようにますます残高だけが大きくなっていた。

advanceの真意さえわかっていなかった古関にも、ビジネスライクのきびしい雰囲気が、やっとつたわってきた。

「昭和五年に入社以来、これといったヒットも出ず、くさっていた私は、今年こそと思っていた」（『鐘よ 鳴り響け』）

そんなときコロムビアの作家室で、たまたま作詞家の高橋掬太郎に会った。

函館の新聞記者だった高橋はコロムビアで「小樽小唄」の詞を書いたことがあって、これが縁で文芸部の市村幸一と親しくなった。その市村が「何か流行歌向きの作品がありませんか」と言ってきた。高橋は書き上げたばかりの詞が二編あったので、歌手もわからないまま市村に送ったが、「作曲は古賀政男に」（『流行歌三代物語』）とだけ条件をつけた。

高橋掬太郎が郵送した二つの詞、「酒は涙か溜息か」「私この頃憂鬱よ」は、カップリング（AB面）になって大ヒットした。

「酒は涙か・・・」を歌った藤山一郎、「私この頃・・・」を歌った淡谷のり子にとっても、初めてのビッグ・ヒットだった。一枚のレコードから、四人が、歌謡界で名を成すことになる。

そんな高橋も、それ以来しばらくヒット曲にめぐまれなかった。

共通の悩みがあったことで、ふたりの話題は雑談に終わらなかったのだろう。いかにも新聞記者らしい発想だが、「いっしょに取材旅行に行かないか」と誘ったのは高橋だった。

この旅から、古関裕而のはじめてのヒット曲「利根の舟歌」が生まれた。

利根の朝霧　櫓柄がぬれる
恋の潮来は　恋の潮来は
身もぬれる

（「高橋掬太郎詞、古関裕而曲　松平晃歌）

「古関裕而と私が潮来から佐原に渡る途中だった。もう黄昏が近い大利根の流れを、流行の『島の娘』を歌い乍《なが》ら、小舟を漕いでいく若い男がいた。その歌声を聴いて、私達は作詞作曲の想いが湧《わ》いたのだった。

古関裕而はこの一作で、流行歌への将来が展《ひら》けた。」（『流行歌三代物語』）

古関のあらたな作曲家人生のスタートは、高橋掬太郎の〈最後のたった一行〉の文章につきる。

翌年、またおなじコンビで作った「船頭可愛や」は前作を上回る大ヒットになって、この曲をうたった新人歌手・音丸をスターにした。

「文芸部に行くと、英国人のエドワードと部長の松村氏がおられて、〈『船頭可愛や』の大ヒットを社長も非常に喜んでいます。それで入社以来の赤字は全部棒引きにして『船頭可愛や』の印税を、最初の一枚からさし上げます。〉と言ってくれた。」

古関裕而は日本のポップスの作曲家として、ようやくポピュラリティーの大きさを味わっていた。

「私は初めて自分が作曲した曲がどこへ行っても流れている喜びを知った」

（『鐘よ 鳴り響け』）

❐古賀政男の反乱とテイチク・レコード時代

昭和七年十二月六日、東京会館の古賀政男は豪華なウエディング・ドレスに身をつつんだ花嫁と一緒に記念写真におさまっている。ふたりの両隣には音楽界の大御所、山田耕筰夫妻が媒酌人としてすわっていた。

二十八歳の新進作曲家は、名声にふさわしい幸福な家庭をもったはずだった。

新婦の中村千代子（二十二歳）は、銀行員の一人娘で高等女学校卒業後に東洋音楽学校に入学して首席で卒業している。昭和七年、卒業と同時にコロムビアと契約したが、同年の五月にはＳＫＤ（松竹少女歌劇団）に入団して、夢野里子になった。

当時のレコード・メーカーのディレクターたちは、新人歌手をスカウトするとしたら、まず音楽学校へさがしにいった。藤山一郎（東京音楽学校〈現・芸大〉）、松原操（ミス・コロムビア／東京音楽学校）、淡谷のり子（東洋音楽学校）、二葉あき子（東京音樂学校）、松平晃（東京音楽学校中退）、楠繁夫（東京音楽学校中退）、渡辺はま子（武蔵野音楽学校）などなど、いずれも音楽学校からスター歌手への道をあゆんだ人たちで、レコード業界に、そんなレールが敷かれていた。それだけに東洋音楽学校で目立っていた中村千代子が、コロムビアからスカウトされたのはとうぜんのなりゆきでもあった。

この結婚が謎めいているのは、一年前まで会ったこともない二人が、熱愛でもしたかのように、あっというまに挙式していることだ。当時のコロムビア文芸部長、和田龍男が橋渡《はしわた》しをしたと言われているが、中村千代子はＳＫＤの将来のスターと期待されていた。それなのに三か月の在団と、たった二回の公演だけで退団している。

ふたりの結婚は、あきらかに恋愛らしき交際期間はない。だれもが、耳をうたがう挙式だった。

「結婚に際して人はどんなえにしで相手を選ぶのか、これこそ千差万別で法則はないとおもうが、古賀は錯覚があったと思う。彼自身の思い込み違い、つまり錯覚による嫁選びだ。」（『誰か故郷を…』茂木大輔著）

「明大マンドリン・クラブ」の後輩で何年か一緒に生活した茂木の「錯覚」という表現と、離婚してからの中村千代子の「あの人は結婚してはいけない人だったのです」という発言は、古賀自身がまだ、〈ホモセクシュアルだったことを自覚していなかった時期だった〉と考えれば、すべて納得がいく。

千代子は負けん気の旺盛な、すすんだ女性だった。それだけに古賀の弟や〈取り巻き〉まで同居している、不自然で、異常な距離のある新婚生活は、がまんできなかったのだろう。

離婚後、さまざまな中傷をうけた中村千代子の生きかたを追ってみると、心に大きな傷を負った女性とはおもえない、たしかな足取りであるいている。

中村千代子はまもなく再婚して二女の母になったが、四十歳をすぎてから、とつぜん家をでて、音楽事務所「ミモザの会」をひらいて、シャンソンを教えはじめた。

経済的に苦しい時期もあったようだが、人生のなかばを過ぎてからシャンソンに賭けたのは、それなりの決意があったのだろう。

千代子の人生を変えたのは「シャンソンの悲劇女優」といわれたダミア（Marie - Louise Damian 1889 ~ 1978）の日本公演だった。

一九五四年パリのオリンピア劇場を埋めつくした最終公演（１９５５年）は伝説になっ

たが、ダミアはその一年前に来日して東京、大阪などの六大都市で公演している。四十歳を越えていた中村千代子が、六十四歳のダミアのコンサートを聴いたときの感動が、どんなに大きなものだったのか、そのごの彼女の発言と生き方が教えてくれる。

「人生の哀歓を一番適切に表現できるのがシャンソンだと思いました。それは、年をとっても、詩を語りかけるように、小声でささやくように、歌えるものなのです」

（『ライフケア』昭和五十年三月号）

ジャンソン歌手に転身した中村千代子は七十歳をすぎてもステージに立って、多くのシャンソン歌手を育てた。

古賀政男は離婚騒動のあと、何か月も伊東温泉で静養していた。自伝の「体調をくずした」も、あっただろうが、「マスコミからの逃避」とかんがえたほうが納得できる。

昭和八年の十月、心身ともに疲れはてた古賀をターゲットにした人物がいた。

帝国蓄音器社長の南口重太郎は、古賀が長逗留していた宿（宇田川別荘）をつきとめると、素知らぬ顔で同宿した。温泉宿の湯の中で、汗と湯にまみれた大男が古賀に近づいてきて、関西弁まるだしで話しかけてきた。

ここまでは、古賀の自伝に書いてあるとおりだが、あらたな資料からこの時期と背景を追ってみると、古賀伝説の偶発的な出会いとは、まるでちがった事実がみえてくる。

帝国蓄音器株式会社、つまりテイチク・レコードを裸一貫で創立した南口重太郎は、銀行にもたよらず、奈良でレコード、蓄音機を風呂敷に包んで行商したことにはじまる。弁も立ち、関西人らしい強引さと図太い神経をもっていた。

古賀はのちに、南口の印象を「唾を吐きたくなれば、ところかまわず電車の中でも、ホテルの廊下でも平気で吐き散らした」と書いている。それだけに、帝蓄入りを決断したのは、南口重太郎という人物に敬意をもったとは考えられない。

外資系のレコード会社が日本を支配してからも、次々とうまれたマイナーのレコード・メーカー間で、小さなシェアの争奪戦がはじまっていた。

生き残るためには何とかメジャーの一角を切り崩す方策を考えなければならなかった。そのためには、アーティストの略奪がもっとも効果的なゲリラ戦略だった。南口重太郎のように底辺からはい上がってきた苦労人は、いつも自分の身の丈よりも大きなものに挑戦してきた。大きなものには、思いあがりとスキがあった。

創業からわずかの期間にテイチクをメジャーにした南口重太郎という企業家は、古賀が考えているよりもはるかに、したたかな戦略家でもあった。

南口は、居心地のいいメジャーにも、かならず不満分子が住んでいると思っていた。古賀政男をターゲットにするまえに、コロムビアの録音技師長だった竹中靖治にちかづいている。

古賀の担当ディレクターでもあった川崎清の自伝（『レコード盤と共に』）から、竹中の経歴を追ってみると、次のような人物が浮かんでくる。

竹中靖治はアメリカ育ちの日米混血児で、青山学院を卒業してから、商社の貿易部にいたが、ある日、アメリカ人実業家の通訳を頼まれた。この人物が日本コロムビア社長、J・R・ゲアリーだった。

ジャズ・ファンだった竹中は、抜けめなくゲアリーの関心を引いたのだろうが、みごとなな英語力と音楽的な知識をかわれて日蓄にスカウトされた。

入社してまもなく、アメリカからレコーディング・エンジニアが招聘されたが、まるで日本語を話せなかった。竹中は一緒に仕事をしながらレコーディングの知識と経験を身につけていった

日蓄が英米コロンビアの傘下に入って本格的な電気録音の時代に入ると、また日本語を話せないエンジニア、ギンガムが派遣されてきた。竹中の存在はますます大きくなって、電気吹込みが軌道にのると、一時は文芸部長代理までつとめている。

野心的な竹中のなかに、このころから上昇志向があたまをもたげてきた。

英語力の過信もあって、外人経営者に社内のトラブルやミスをささやく、トラブル・メーカーになった。

古賀政男の才能を発見した米山正が文芸部長職をおわれて、和田龍男と交代したのも、竹中の〈ささやき〉だったといわれている。こうした疑心暗鬼をつくりだす人物が、労使双方に歓迎されるわけもなく、コロムビアを辞めたのは、竹中自身が墓穴をほる事件があったらしい。

奈良市に事務所をおき、関西中心に浪曲、邦楽レコードを売っていた南口重太郎にとっ

て、日本コロムビアの制作部門にいて、頭も切れる竹中靖治は、おあつらえ向きの人物だった。

南口は古賀政男を標的にするまえに、浪曲界の大スターだった広沢虎造を口説き落としている。

虎造が関西で初めて公演したとき、南口がどんなルートで近づいたのか、どんな条件を提示したのか、資料からは追いきれないが、コロムビアを退社していた竹中靖治が広沢虎造の攻略にもかかわった可能性がある。

とにかく、このレコードはマイナーのテイチクにとって、空前のセールスになって東京進出の足がかりをつくった。

南口の次の標的になった古賀政男も、竹中靖治なしでは考えられない。

古賀のディレクターでもあった川崎清は、商社時代に机をならべていた同僚で、コロムビアに入ったきっかけも竹中の紹介だった。コロムビア社内の情報も、古賀の情報も、貸しのある川崎清からなにげなく訊きだすことができた。

コロムビアを退職した竹中が、南口より先に静養中の古賀政男をたずねて行ったことは川崎の著書にも書かれている。

南口重太郎が伊豆の温泉宿に古賀をたずねていったストーリーは、あまりにも、できすぎている。この出会いも、竹中のプランどおりに動いた結果だと考えれば納得がいく。

南口は伊豆の湯の中で「奈良でおもちゃみたいなレコード会社をやっています」と古賀にいっている。たしかにコロムビアからみれば比較にならない小さな会社だったが、「先生には専属作家としてだけではなく、経営者の一人としてテイチクの流行歌を発展させてほしい」と本音もまじえて説得した。

このセリフが、湯の中だったかどうかは別としても、古賀の攻略には「経営者として」の〈ひとこと〉が、何よりも効果があったかもしれない。

三十歳になったばかりの古賀は、すでに作曲家としての名声をえていた。それだけに、新興メーカーを自分の力で大きくしてみたいという野心があったと思う。

南口重太郎は竹中靖治の集めた情報から、たった一つのジャスト・フィットする鍵をさぐりあてていた。

「古賀政男伝」の複数の著書に、古賀のテイチク入りを、「日本コロムビアの外人経営者への不満」と書いたものもある。

しかし、林諄（元・コロムビア文芸部長）、坂田哲郎（元・コロムビア理事）などの古参社員のコメントは、「古賀さんは、経営者の肩書をほしかったんですよ」ということになる。たしかに古賀の生い立ちからも、地位と名誉へのこだわりはあったと思うが、もう一つの要因が浮かんでくる。それは、スランプの恐怖を克服する手段でもあったことだ。

古賀はわずか五年の間に、コロムビアからテイチクへ、テイチク退社後に渡米、そしてコロムビア再入社と、転身を繰り返した。そうしためまぐるしい行動をヒット曲の推移とかさねてみると、古賀のスランプの時期と符合していることがわかる。

古賀政男の思いきった賭けは、自分自身を高く売ろうとする兄福太郎ゆずりの商才もあったのだろうが、データから分析してみると、才能を活性化するためのステップだった可能性もみえてくる。

コロムビア退社の時期までもどってくると、まだ契約期間中だったコロムビアは古賀政男のテイチク入りの噂を、「まさか」と思っていた。

ところが古賀が本気だったので大騒ぎになった。なだめたり脅したりの必死の引きとめ工作がはじまって、テイチクも巻きこんだ騒動になった。

このときの南口の対応は、あきらかにゲーム・プランの行きとどいた、したたかなものだった。

ここにも竹中清治の影がみえてくる。

テイチクは児童物レーベルの商標として、コロムビアのツイン・ノーツ（♫）に関連したマークを日本国内で登記していた。南口の実兄、豊治はテイチクの役員でもあったが、奈良で南口商事を経営している。南口重太郎は、この豊治の名義でツイン・ノーツを登記していたので、古賀の移籍を認めないなら、コロムビア・マークの使用権を法廷闘争に持ちこんでもいいとまでいって、強気でコロムビアとわたりあった。

これが決め手になった。

日本コロムビアには油断があって、アメリカ・コロムビアのシンボリックなマークを日本国内で商標登録していなかったのだ。こんなデリケートな情報を、奈良市に拠点をおく南口重太郎がつかんでいたとは思えない。あきらかに竹中靖治の戦略だった。

コロムビアはとうとうツイン・ノーツを取りもどすことを優先して古賀をあきらめたが、南口重太郎とある密約をむすんだ。

「古賀政男が帝蓄をやめるときは、コロムビアに差し戻す」と一札かかせている。

本人がサインしていない文書なので、コロムビアも本気で効力を期待したかどうかはわからない。それでも、この文書は、古賀がテイチクをはなれたあとで、有効に機能している。

昭和十年十一月十五日、帝国蓄音器株式会社の株主総会が開かれて、竹中靖治は古賀政男と一緒に取締役に就任した。

♫

広沢寅造も古賀政男もコロムビアの大事な財産だったので、日本コロムビアの経営者たちはさっそく責任の所在を追及しはじめた。

まもなく川崎清と羽山健太郎の二人のディレクターが、突然、解雇通告を受けた。羽山は虎造の担当だったので、一方的に「管理不行き届き」の責任をとらされているが、川崎は竹中に協力した嫌疑のほうが重かった。日本コロムビアになってからは、欧米スタイルのクールな雇用体制が敷かれていたので、翌日から「出社に及ばず」の宣告をうける社員はめずらしくもなかった。

それでも文芸部だけは、現場が人間関係で成り立っていることもあって、古賀政男の事件までは激しい出入りはなかった。

テイチクは古賀政男を文芸部担当の専務取締役にすえたが、南口のおもわくどおり「緑の地平線」（佐藤惣之助作詞、楠繁夫歌）、「人生の並木道」（佐藤惣之助作詞、ディック・ミネ歌）などのヒットをつぎつぎ連ねていった。

テイチクの快進撃は、たまたま身近にいた金の卵を発見したツキもあった。

ギターとスチール・ギターを弾くスタジオ・ミュージシャンに、三根徳一という男がいた。「デカ三根」と呼ばれた陽気な大男で、バイクのサイドカーに楽器を積んで、各社のスタジオをまわっていた。

あるとき三、四人のミュージシャンがレコーディングの待ち時間に、好きな曲を歌ったり演奏したりして遊んでいた。歌っていたのはアメリカで多くのジャズ・ボーカルにカヴァーされていた「ダイナ」だった。

この男はアドリブで日本語歌詞をつけて歌っていたが、スタジオにいたディレクターが日本人離れしたヴォーカル・センスに可能性を感じた。ディレクターから「ダイナ」

の企画書が提出されると、文芸部長が真っ向から反対したので、この企画は屑籠に入りそうになった。

ディック・ミネの自伝によると、そんなとき古賀政男がタイミングよく現れて「これいいじゃないの。好きにやってごらん」といった。

この貴重なひとことは、テイチク初の洋楽カヴァー曲のヒットになり、ディック・ミネというスターを生んだ。

弾みのついたテイチクはそれからも、古賀のおかげでもう一人のスターを手に入れることになる。

♠

藤山一郎が歌手として大成したのは、古賀政男がお膳立てしたようなものだった。

まだ東京音楽学校（現・東京芸術大学）声楽科の学生だった藤山は、アルバイトで「慶応義塾の歌」をコロムビアでレコーディングしていた。

まだ入社したばかりで、アシスタントとしてスタジオに入っていた古賀は、すっかり藤山の歌に魅せられた。それからの藤山一郎は、つぎつぎと古賀メロディーを歌うことになった。

それでも、まだ在学中の藤山は学則という、めんどうなものに縛られていた。

当時の音楽学校は上野にかぎらず、どこでも保守的な規制があって、音楽活動のアルバイトを禁じていた。「緑の地平線」「人生劇場」などの古賀メロディーを歌って、テイチク・レコード初のスター歌手になった楠繁夫は、東京音楽学校在学中に地方巡業に参加して退学処分になっている。

藤山一郎は歌手活動を公《おおやけ》にできない立場にあったが、「酒は涙か溜息か」の大ヒットで、日本中に名が知れわたった。

さっそく学校から呼び出されて、すでに吹き込んだ曲のリストを提出してから「今後はいっさい歌手活動をいたしません」と誓約書を書いて、ようやく退学処分だけはまぬがれた。

このとき、〈吹込済み〉として提出したリストの中に、まだレコーディング前だった「影を慕いて」が入っていた。藤山のこんな抜け目のなさがなかったら「影を慕いて」は他の歌手が歌っていたかもしれない。

藤山はそんな事情もあってコロムビアとの専属契約はなかったが、だれもが卒業後はコロムビアに収まると思っていた。ところが、自由の身になった藤山は、とつぜん身をひるがえしてビクターに入ってしまった。

コロムビアだけではない。まだコロムビアにいた古賀政男も大事な歌手を失ったわけで、藤山に会って、恩義を欠いていないかと迫ったことがある。

藤山は「ぼくは月給制を主張したのですが、コロムビアは印税制を主張して譲らなかったので、ビクターを取りました」と釈明した。さらに「契約のことは親にも話せないことだってありますからね」と答えて平然としていた、と古賀は自伝に書いている。

ディック・ミネは「古賀先生の門下生はみんなシマリ屋で、藤山一郎はそのチャンピオン」とまでいっている。（『八方破れ言いたい放題』）

古賀政男はテイチクに入ってから藤山一郎とビクターの契約切れをひそかに待っていた。こうした目のつけどころも、一作曲家だけではない古賀の才覚がみえてくる。

とうぜん古賀は表に出ないが、腹心の茂木了次をなんどもかよわせて、契約切れまで、しんぼうづよく藤山一郎に貼りつけておいた。

ビクターに入ってからの藤山は「僕の青春」以来、これといったヒットに恵まれなかったので、古賀との相性のよさは身にしみている。テイチクの南口重太郎も古賀の提示した契約条件を即決したので話は早かった。

古賀、藤山コンビのテイチクでの第一作「東京ラプソディー」は、コロムビアの首脳陣が青ざめるほどの大ヒットになった。

創業まもない、小さなメーカーだったテイチクは、おどろくほど短期間にメジャー・メーカーの仲間入りをした。

テイチク・レコードは、日本コロムビアのアドヴァンテージとセールスの両面にダメージをあたえることになったが、古賀のヒット曲を検証してみればその傷跡の大きさが見えてくる。

テイチク・レコード入社後の古賀政男のヒット曲を、主なものだけ並べてみても、これだけの数になった。

昭和九年　「国境を越えて」（佐藤惣之助詞、古賀政男曲、楠繁夫歌）
昭和十年　「白い椿の唄」〈映画『貞操問答』主題歌〉（佐藤惣之助作詞、古賀政男作曲、楠繁夫歌）
「二人は若い」（玉川映二〈サトウハチローのペンネーム〉作詞、古賀政男作曲、ディック・ミネ、星玲子歌）
「ハイキングの歌」（島田芳文作詞、古賀政男作曲、楠繁夫歌）
「緑の地平線」〈日活映画主題歌〉（佐藤惣之助作詞、古賀政男作曲、楠繁夫歌）

「夕べ仄かに」〈日活映画『緑の地平線』挿入歌〉（島田芳文詞、古賀政男曲、ディック・ミネ歌）

昭和十一年「東京ラプソディー」（門田ゆたか作詞、古賀政男作曲、藤山一郎歌）
「男の純情」〈日活映画『魂』の主題歌〉（佐藤惣之助作詞、古賀政男作曲、藤山一郎歌）
「あゝそれなのに」（星野貞志〈ポリドールの専属だったサトウハチローのペンネーム〉作詞、古賀政男作曲、美ち奴歌）
「うちの女房に髭がある」（星野貞志作詞、古賀政男作曲、杉狂児、美ち奴歌）
「女の階段」〈日活映画『女の階段』主題歌〉（村瀬まゆみ作詞、古賀政男作曲、楠繁夫歌）

昭和十二年「人生の並木道」〈日活映画「検事とその妹」主題歌〉（佐藤惣之助詞、古賀政男曲、ディック・ミネ歌）
「青い背広で」（佐藤惣之助詞、古賀政男曲、藤山一郎歌）
「青春日記」（佐藤惣之助詞、古賀政男曲、藤山一郎歌）

昭和十三年「人生劇場」（佐藤惣之助詞、古賀政男曲、楠繁夫歌）

コロムビア上層部のふんまんのはけ口は、誰かにペナルティーを課すことしかなかった。こうした詰めのあまいエラーに、外人経営者の目はきびしかった。

そのご文芸部長の和田龍男が解任されている。

❐服部良一とジャズとブルース

「ぼくの音楽人生」の服部良一とメッテル

✎昭和十一年二月二十六日　二・二六事件。「昭和維新」をめざす皇道派の青年将校たちが一四八三名の下士官兵を率いて決起。大蔵大臣・高橋是清他三名死亡。陸軍大将・鈴木貫太郎が重傷。翌二十七日、東京に戒厳令施行。

こんな右傾化しはじめた国体とは裏腹に、コロムビアはやっと陣容を調えつつあった。昭和十一年に服部良一がニットー・レコード（日東蓄音器株式会社）から移ってきて、コロムビア文芸部の戦力はさらに強化された。

服部をスカウトしたのも、西條八十を攻めおとしたエドワードだった。

ホワイト社長が辞任する半年前の昭和十年の夏、エドワードは作曲家・大村能章を通じて移籍の意志を打診してから、銀座の小料理屋で服部と会っている。

「美しい日本人の秘書を伴ったコロムビアの文芸部長エドワード氏と会った。若いスマートな英国人だった」（『ぼくの音楽人生』）

本書にたびたび現われるエドワードについて補足しておくが、

服部の自伝、古関裕而の自伝など、同時代のいくつかの文献ではコロムビアの文芸部長は松村武重になっている。西條八十はエドワードが日本をはなれる直前まで「秘書」と書いているので、どちらが正しいのかわからないが、フルネームさえ発見できなかった。エドワードにもっとも近いところにいた藤浦洸の著書に、わずかな紹介がある。

「コロムビアは各部に英米人の部長を置いていて、文芸部長はエドワードというオックスフォード出のイギリス人で、まだ三十にも満たなかった」（『なつめろの人々』）

名門オックスフォード卒なら、きびしい階級社会のイギリスでも中流以上を闊歩できたはずだが、エドワードは牧師として横浜に赴任した父親と一緒に来日している。推測をくわえれば、日本に興味があったのではないだろうか。

藤浦洸は、エドワードに雇われたときの経緯《いきさつ》を次のように語っている。

「エドワードと、その下でもう一人の文芸部長だった松村武重と三人で、銀座A1（エーワン）で会って僅かな時間で話がきまった」（『なつめろの人々』）

この証言からも、文芸部長二人説が正しいのかもしれない。

エドワードは、ワンマンだったホワイト社長の直系だったので、肩書はどうであれ、文芸部のだれよりも決裁権をもっていた。

♩

服部良一は明治四十年に大阪で生まれている。

谷町にあった生家は尾張の人形師だった家系を継いで、細々と人形づくりをしていた。小学校時代から秀才で、国際法の権威として東大教授となった安井郁といつもトップの座をあらそっていた。大阪実践商業にすすむと家計をたすけるために昼は貿易商の小使い、広告会社の給仕など、つらい仕事を転々としながら働いて、夜学にかよった。

こんな無理がたたって、体調をくずして家でぶらぶらしていたころ、姉から「出雲屋少年音楽隊」の募集のはなしを聞いた。

出雲屋は老舗のうなぎ屋だったが、あらたに洋食レストランを開店することになって、若旦那が道楽はんぶんで少年音楽隊を作ることにした。

東京の松坂屋、三越が少年音楽隊を結成したので、大阪三越もこれにならった。出雲屋もこうしたデパートに影響をうけたのだろう。

ハーモニカ少年だった服部は、姉に背中をおされたことで応募してみたが、入隊試験はトップだった。音楽隊の楽長・橘宗一も、指導者たちも、陸軍第四師団軍楽隊の出身で、出雲屋はトランペット、トロンボーン、フルート、サックスなどの輸入品を、十数人のメンバーのために大金を払って買っている。大正十二年（1923）まだ十六歳の服部良一は音楽の仕事で、はじめて十五円の給与を手にした。

こんな思いきった投資も、スタートしたころは、大阪のジャズ・ブームにあやかって若旦那の思わくどおりの成果をあげていた。

それでも、いいことばかりではなかった。

「第一次大戦後の不景気は、ついにどん底状態になり、伝統ある三越の少年音楽隊が解散したのが大正十四年の五月。（中略）デパート系の少年音楽隊は大正十四年までに全部解散したようなものだった。」（『ぼくの音楽人生』）

音楽の才能に目ざめた服部の、サックス奏者として成長めざましかったが、ある日、おおきな転機がおとずれた。

出雲屋から独立した大阪プリンセス・バンドでサックスを吹いていたころ、「大阪フィルハーモニック・オーケストラ」から誘いがあった。

1926年三月、東京放送局（JOAK）に続いて大阪放送局（JOBK）が開局したが、JOAKにならってJOBKもオーケストラを新設した。関西で初めての本格的なオーケストラで指揮者は代々、外国人だったが、そのころはウクライナ出身のユダヤ系ロシア人、エマヌエル・L・メッテル（✍5）が招聘されていた。

プロコフィエフなど、おおくの音楽家を輩出した「ペテルブルグ音楽院」出身のエリートとの出会いは、服部良一の音楽人生を大きく変えた。

服部良一はまだ二十歳で、メッテルは指揮者としての円熟期をむかえていた四十九歳だった。

♩

大阪フィルの一員になって第二フルートを担当していた服部は、ある日、リハーサルが終わってからメッテルに呼びだされた。

ときどき、ミスをしたメンバーが個室によばれて油をしぼられるのを知っていたので、おそるおそる部屋にたずねていった。

通訳が同席していて「きみは今までどんな勉強をしてきたのか」ときかれた。

メッテルが部屋によんだのは、なんの根拠もなかったわけではない。リハーサルのとき、自分のパート譜のほかにミニ・スコア（総譜）をつくって練習している姿をみていたのだ。

服部は少年音楽隊時代のことや「リヒテル・ハーモニカ」の本を読んで勉強したことを正直にはなした。

「メッテルは大きく首を振った。

『ソンナ勉強デハダメデス。ホントノ勉強ハ、先生ニツカナケレバ、ダメ。アナタ、勉強シマスカ』

『はい、やります』

ぼくは勢いこんだ。

『デハ、ライシュウカラ一回ズツ、ワタシノ家ニキナサイ』」（『ぼくの音楽人生』）

レッスンは練習のない日だったが、その日から約四年間、リムスキー・コルサコフの和声学、対位法、管弦楽法、それに指揮法まで、きびしい授業をうけている。

答えにつまってマゴマゴしていると、怒ったときの決まり文句がとんできた。

「ドウシテワカラナイノ、アタマ、スコシバカネ」

こうした容赦ないレッスンがようやく終わると、山のような宿題をもってかえった。

古関裕而、古賀政男といった作曲家たちは独学で日本のポップスの世界に入ってきた。服部良一も学校という教育システムは通らなかったが、学校以上の正規の音楽教育を受けた人だった。

服部はメッテルの個人教授について、外人らしい金銭感覚があったので、けして無料奉仕ではなかったと回想している。メッテルにとっては、教えることは好意ではあっても奉仕ではなかった。

それでも同じメッテルの教え子で、宝塚歌劇団の作曲、編曲を担当した津久井裕基は、父を亡くしたとき、約六ヶ月の月謝を免除してくれて「出世払いでいいよ」と言ってくれたという。

メッテルは、時には、こんな表現で弟子たちに愛情をしめした。

「私は、あなた方に音楽のバイキンをうつしてやった。あなた方は、もう治りません、十年たったら、見物《みもの》です」（『京大オーケストラ四十年史』）

メッテルから黴菌《ばいきん》をうつされた服部良一は、上京してから日本のジャズ・ミュージシャンたちに音楽的教養を繁殖《はんしょく》させることになる。

♬

大正十二年、東京を焼け野原にした関東大震災は、ようやく日本に育ってきたジャズ・

ミュージシャンたちの、活動の場まで奪うことになった。

東京の壊滅的な惨状は、だれの目からみても一年や二年で復興するはずがなかった。仕事を失ったジャズ・メンたちは大挙して大阪にながれてきたが、道頓堀あたりのジャズが活気をおびていったのは、このころだった。

大阪は大正十一年、難波新地にダンス・フロアーを持つ「バー・コテージ」が開業して、ぞくぞくとダンス・ホールやライヴができるカフェが登場した。大阪はこうして日本のジャズ・シーンのリーダーシップをとることになる。


服部良一が大阪フィルに所属しながら、夜のカフェでサックスを吹くようになったのは、そんな大阪のジャズに魅かれたからだった。

本業の合間を縫って前野港造のバンドに入ったり、道頓堀に開場した松竹座のオーケストラに参加したりした。このオーケストラはピックアップ・メンバーだったが、その後の日本のジャズ界をリードしていく井田一郎など、多彩なメンバーがいた。

大阪のジャズ全盛時代に、服部はミュージシャンとして走り回りながらジャズ界の人脈をつくっていた。

五年もたたないうちに、東京は大震災の廃墟からめざましい復興をとげていた。それからの日本のジャズはふたたび大阪から東京へと流れを変えた。

音質のいい電気録音のレコードが外資系のビクター、コロムビアから発売されて、東京のジャズはルイ・アームストロングなどのシカゴ・スタイルに影響されながら、フォー・ビートの洗礼を受けていた。


昭和三年（1928）、大阪ジャズの中心人物だった井田一郎までが、若手中心の精鋭バンド、チェリーランド・ジャズ・バンドを引きつれて上京した。

四月の三越ホールの演奏は東京のジャズ・ファンを熱狂させたが、翌月の浅草電気館のライヴは、「浅草オペラ」で歌っていた二村定一と共演した。

日本コロムビアはこのライヴから、二村定一の「青空」と「アラビヤの唄」をカップリングにして発売している。


「昭和三年五月発売のジャズ・ソング「青空」「アラビヤの唄」は世界的にアメリカン・ジャズが流行し、ダンス・ホール、カフェが全盛という時代にマッチして素晴らしい売れ行きを示した。」（『コロムビア五十年史』）

コロムビアのライヴ盤が評判になったので、ビクターはさっそく二村定一と専属契約を結んでいる。それから四か月後、まったく同じ曲を二村定一と井田一郎のバンドでレコーディングしたが、これもヒットした。

道頓堀界隈の中心人物・井田一郎の東京での活躍は、大阪にいた服部良一に大きな刺激をあたえている。

服部良一がようやく上京を決意した昭和八年は、「東京音頭の」大流行で、日本中がお祭り騒ぎだった。

そのころの服部は、気軽に家を出るような環境ではなかった。経済的にも服部家を支えていたので、家族を説得するのも修羅場になった。

それでも大阪での最後の日は、ようやく納得してくれた父親と水杯を交わして、翌朝はやく、トランク一個と、サックスとフルートのケースを抱えて大阪駅にむかった。

プラットホームまで見送ってくれた十八歳の末の妹が、

「兄ちゃんが東京で有名な作曲家になったら、うちを歌手にして」

と涙を流して手をふった。

服部良一、二十七歳の門出だった。

音楽理論を学び、ジャズ・メンとしてもトップ・クラスになっていた服部は絶好のタイミングで中央にやってきた。

東京での生活は、ピアニストの菊地博の家の二階に間借りしながら、ダンス・ホール「ユニオン」のレギュラーだった菊地バンドでサックスを吹いた。

大阪では友人のミュージシャンたちに和声学を教えていたので、そのことを知っていた菊池は、家賃代わりにバンドのメンバーにも教えてほしいといった。

新宿の菊地家に、一人、二人と勉強仲間が集まるようになって、いつのまにか三十人以上の勉強会になった。服部は「響友会」と名付けたが、この自然発生的な音楽塾が日本のポップスに大きな変化をあたえることになる。

♠

服部は「人に教えなさい、それが自分の勉強になります」といったメッテルの教えを忠実にまもっていた。「響友会」をひらいてからも、確信がもてないときは夜汽車にとびのって、大阪の恩師メッテルの教えをうけている。

「響友会」に通っていた生徒たちは、のちにそれぞれヒット曲（✍6）を書いているが、服部の功績は、おおくの優れたアレンジャーを育てたことだった。この勉強会は五年つづいたが、日本のポップスのレベルを大きく進化させることになった。

流行歌の世界に入った作曲家・服部良一の出発点も、レコード業界を巻き込んだ「さくら音頭」合戦と縁があった。

ビクター、コロムビアのしれつな戦いになったメジャーの競作に混じって、マイナー・レーベルのニットー・レコードも参戦していた。

ニットーの文芸部長・木村精という人はポップス系の音楽が好きだったので、服部にメジャーとひと味ちがった「さくら音頭」を依頼してきた。このとき服部は「おけさ」のリズムでやってみたいといったが、木村はこのアイデアを採用した。

「さくらおけさ」は、のちにテイチクで成功した美ち奴の歌で発売されたが、関西を中心に売れて善戦した。服部はこれが縁で、ニットーの音楽監督に迎えられた。

ニットーは居心地がよかった。

それでも、ここに安住していたら二流のままで埋もれてしまうかもしれない。そんな、ぼんやりとした不安もあった。

そのころ、おもがけないメジャーからの誘いがあった。ミュージシャン仲間で評判になっていた「響友会」の噂が、コロムビアに届いていた。

メジャーの専属作曲家は、上京した服部の最初の目標だったが、昭和四年に結成されたコロムビア・ジャズ・バンドも大きな魅力だった。

このバンドは業界最高のバンドとして他社の羨望《せんぼう》の的《まと》だった。


「これは東京の学生上がりのジャズ青年と、大阪から来たパリパリの腕達者が合同して生まれた、日本のジャズ史上に残る最高水準のジャズ・バンドだった」

（『日本のジャズ史』内田晃一著）


コロムビアがジャズ・バンドを結成したきっかけは、日系二世のトランペッター堂本譽次がL・H・ホワイト（コロムビア社長）と親しかったからで、コロムビアこそ日本最高レベルのジャズ・バンドを持つべきだと説得した。

バンド・マスターになった紙恭輔は、東京帝国大学（現・東大）を出てから、NHK交響楽団のコントラバス奏者になり、クラシックからジャズのサックス奏者に転向した人だった。堂本と紙のメンバー選びで、まず標的になったのは、井田一郎のチェリーランド・ジャズ・バンドの芦田満（テナー・サックス）谷口又士（トロンボーン）、小畑光之（トランペット）だった。チェリーランド脱退組の他にも高見友祥（アルト・サックス）、橋本淳（クラリネット、サックス）、渡辺良（ベース）、田中和男（ドラムス）、平茂夫（ピアノ）、坂井透（バンジョー）など、そうそうたるメンバーが参加した。

服部良一が入社したころは渡辺良がバンド・マスターの時代だったと思うが、結成から何年かたっていたので、かなりメンバー・チェンジがあったはずだ。それでも、コロムビア・ジャズ・バンドのレベルはまったく落ちていなかった。

「当時のコロムビア・ジャズ・バンドは全く完璧なレコーディング・オーケストラで、吹き込みは実に早く、演奏は正確に作曲、編曲の意図をつかんでくれた」（『ぼくの音楽人生』）

コロムビアに入社した服部良一は、代表作「別れのブルース」を書くまえに、すでにブルースを意識した曲をかいていた。

「霧の十字路」（高橋掬太郎・詞）はコロムビア・ジャズ・バンドのトランペッター、森山久が歌っている。森山はサンフランシスコ生まれの日系二世で、ヴォーカリストとしても日本人ばなれしたフィーリングを持っていた。森山の娘が１９６０年代に「この広い野原いっぱい」でスターになった森山良子で、その息子、直太朗にまでヴォーカル・センスの遺伝子が伝わっている。

「霧の十字路」はセールス的にみれば〈玄人《くろうと》うけ〉のレベルだったが、コロムビア文芸部の若いスタッフは、この曲で新入り作曲家の才能に注目した。こうした手ごたえが「山寺の和尚さん」（久保田宵二詞、コロムビア・ナカノ・リズムボーイズ歌）のヒットにつながり、代表作「別れのブルース」への布石になっている。

♤

服部良一は見習い詩人、藤浦洸となんとなく気が合った。「まだ四十前なのに皺が多くて痩せっぽちで、エドワードの側でウロウロしていた」が、実績もないくせに「きみはジャズ出身だから、日本のブルースを完成させたまえ」などと、横柄な口をきく男だった。いくつか習作の歌詞を見せてもらったが、既成の作詞家にはないバタくさい味があった。

洋楽好みの服部は作風が気に入ったので、しばらくはこの男とコンビを組んでみることにした。

藤浦洸に言われるまでもなく、服部は日本のブルースをどうしても書きたいと思っていた。

たまたま自由な時間ができたときは、本牧界隈まで出かけていって異国ムードを嗅いでいた。横浜山手に外人居留地ができてから、本牧あたりの曲がりくねったペーブメントの両側に洋館が並んでいて、エキゾティックな港町に変貌していた。

服部が徘徊《はいかい》していた昭和十年ごろは、繁華街のあちこちに私娼がたたずみ、危なそうな外人相手のチャブ屋やバーが密集していた。ジャズやブルースが流れてくる路地をあるいていると、日本とは思えない異国情緒があった。

服部はそんな本牧の小さなバーで、発売禁止処分を受けたはずの淡谷のり子の「暗い日曜日」を聴いた。ダミアがヒットさせたセレスの曲は、嬌声《きょうせい》が入りまじる喧噪《けんそう》のなかで聴いても、色あせていなかった。

〈本牧とブルース〉というテーマを服部良一からあたえられた藤浦は、しばらくは先の見えない袋小路に迷いこんでいた。

服部はしばらく待ってみたがワン・コーラスさえ上がってこないので助け舟をだして、ウィリアム・C・ハンディの本を資料としてわたした。（『ぼくの音楽人生』）。

たぶん、ハンディの自伝『Father Of The Blues』のことではないかと思う。それからやっとこんな歌詞を見せてくれた。

窓を開ければ　港がみえる
メリケン波止場の灯が見える
夜風　潮風　恋風のせて
今日の出船は　どこへ行く
むせぶ心よ　はかない恋よ
踊るブルースの　切なさよ

淡谷のり子はジャズやシャンソンを、きれいなソプラノで歌っていた。「別れのブルース」の歌いだしは、淡谷にとって下のGだったので、譜面を見て「こんなのアルトでも無理じゃないの」クレームをつけた。当時の淡谷の唱法を考えれば、とうぜんのことだったかもしれない。

服部は歌いあげるのではなく、マイクに近づけと指示してから、「ブルースにアルトもソプラノもない。ソウル（魂）で歌うしかない」といった。

発売前のコロムビアの試聴会では、まだ「本牧ブルース」のタイトルで審議されたが、曲もタイトルも評判がわるかった。たまたま盧溝橋事件で日中戦争がはじまったばかりだった。

「ブルースは今の時局に逆行する退廃的なものだ」とか、「〈本牧〉は外人相手の風俗街でイメージが悪い」などの発言もあって、宣伝、営業からも戦時中にあえて発売するものではない、という意見がおおかった。

そんな逆風の中で山内義冨ディレクターは、「日本一のジャズ・オーケストラと、ジャズ・シンガーを持っているコロムビアが、よその後塵を拝していいものでしょうか」(『ぼくの音楽人生』)と必死に説得した。

試聴会はそれほど紛糾したが、山内と服部は一歩ゆずって、「本牧」のタイトルをあきらめ、「別れのブルース」にすることで、なんとか押し通した。

ところが、やっと店頭にならんだレコードの動きはさっぱりだった。

「ぼくと、藤浦洸と淡谷のり子、山内ディレクターは、意気消沈した。とりわけ、大弁舌をふるったぼくと、山内ディレクターは社内で辛い思いをしなければならなかった。」

(『ぼくの音楽人生』)

発売後しばらくはこんな惨めなありさまだったが、ある日、状況が一転した。

日中戦争がはじまると、あらゆる文化人が戦地の慰問にかりだされた。

満州からかえってきた横山隆一、近藤日出造、清水崑、杉浦幸雄などの漫画家たちが、すばらしい土産話をはこんできた。

「別れのブルース」が満州で大ヒット並みに流行していることを、コロムビア宣伝部の玉川一郎（のちのユーモア作家）に教えた。

玉川はまだ半信半疑だったが営業のデータを調べてみると、たしかに西のほうからセールスがのびていた。ひとつの情報が契機になってコロムビア本社も本気になり、東京でも火がつきはじめた。

それからは、長崎、神戸、横浜と港にそって東上したこの歌は、全国規模の大ヒットになるまで、ほとんど時間がかかっていない。

♫

漫画家の杉浦幸雄がに書いた「別れのブルース」のヒット・パーティーは、まだ戦争の深刻さをおおくの国民が意識していないころで、奇跡的な大ヒットに酔う、内輪の小パーティーの楽しいライヴ感がつたわってくる。

「そのヒット祝いの会は、コロムビアのある東拓ビルの地下のレストランでありました。

(中略)

その後、何百回かわからないほど、いろんなパーティーに出席しましたが、この会だけは自分の会でもないのになぜか忘れられません。その日、歌手の淡谷のり子さんが、都合で来られなくなり、肝心の『別れのブルース』が聞けないので、われら漫画集団は、例によって集団の偉力を発揮して、

「おーい、藤浦っ、歌え！」

と騒ぎたてたら、そのころまだ、コロムビアの宣伝部にいて、後に小説家になった高見順氏が、

「漫画集団、うるさいぞッ」

と怒鳴り返してきました。

そこで、藤浦氏が決然と立ち上がって、

「よし。おれが歌う」

といって、服部良一氏のピアノ伴奏で、
窓を開ければ

とやりました。」（『漫画交遊録』）

『日蓄三十年史』の年表に、「七月『別れのブルース』／十二年十二月に入り俄然《がぜん》帝都喫茶街より流行しはじめ、漸次若人《わこうど》間に普及すばらしきものあり」の記載がある。

✍ supplement

（✍1）日本蓄音機商会

ホーン商会　創立　明治二十九年（1896）
所在地　横浜市山下町
日米蓄音器製造株式会社　創立　明治四十年十月三十一日
資本金十万円（一株金額　百円）
日米蓄音器商会　創立　明治四十二年一月（F・W・ホーンの個人経営）
所在地　東京市日本橋十軒店
同年九月、日本蓄音器商会に改称。
株式会社日本蓄音器商会　創立　明治四十三年十月一日。
資本金三十五万円。
本社　東京市京橋区銀座一の十
吹込所　東京市京橋区弓町
取締役社長
横浜市山手町九番地　エフ・ダブリユ・ホーン

代表取締役　F・W・ホーン
取締役　J・R・ゲアリー他

横浜の貿易商だったアメリカ人、F・W・ホーン（フレデリック・ホイットニー・ホーン）が創立。日本で初めての蓄音機とレコードを製造販売した。まだ日本の著作権法が制定されていないころの創業で、多くの海賊版と戦い、日本のレコード市場の近代化を進め、巨万の資産を手にした。横浜山手のテンプル・コートといわれた豪邸は関東大震災で瓦解したが，日光の東照宮に近くに石造り別荘が残っていて、レストラン「明治の館」として開業している。

（✍2）昭和二年以降の**レコード会社の創立**

米国ビクターの輸出部長D・T・ミッチェルは来日して市場調査をはじめていたが、まだ水面下の作業だった。ビクターの日本総代理店だった「セール・フレーザー商会」の岡庄五（後の日本ビクター文芸部長）がこれをたすけていた

ドイツ・グラモフォンの資本が日本に進出したのは、この二社よりもわずかに早かった。昭和二年五月、レコード輸入商の阿南商会と十字屋と提携して、日本ポリドール蓄音器商会を設立している。

だが、グラモフォンはせっかく先行しながら、流行歌に熱心ではなかったので、日本ビクター、日

本コロムビアに水をあけられることになった。

こうした外資系メジャーと拮抗するように、国内資本のタイヘイ、ニットー、パーロフォン、オデオン、ツルなどのマイナー系のレコード会社がぞくぞくと創立されたが、あきらかにスケールと歴史の差があった。

昭和五年には出版業界の大手、講談社がキング・レコードを創立して戦線にくわわった。

（✍3）浅草オペラ

大正五年、アメリカ帰りの高木徳子と伊庭孝が新劇団「歌舞劇協会」を結成。翌年浅草六区の常磐座で上演したオペラ「女軍出征」が大当たりをとった。「浅草オペラ」といわれた、異様な熱気を発散させた大衆演劇の狂想曲はここから始まった。ペラゴロの名がついた熱狂的なファンが浅草に群がったが、その中には若き日の宮沢賢治、小林秀雄、川端康成、今東光、東郷青児、サトウハチローなどがいる。

約六年間（1917〜1923）の全盛期は、佐々紅華主宰の「東京歌劇座」に石井獏、杉寛、天野喜久子、沢モリノ。「ローヤル館」出身の清水金太郎・清水静子夫妻、田谷力三。新国劇を辞めてアサヒ歌劇団に参加した外山英二郎（後の藤原義江）など、多彩な人脈が様々な劇団に参加して離合集散を繰り返した。大正十三年の関東大震災で劇場は崩壊し、大道具、小道具、楽譜も焼失。公演不能の事態になってから急速に衰退していったが、榎本健一の「カジノ・フォーリー」や古川緑波の「笑の王国」は「浅草オペラ」の残した大衆文化の継承でもあり、新宿座の「ムーランルージュ」も浅草オペラ出身の佐々木千里が開花させている。

(✍4) **モガ** モダン・ガールの略称。大正時代の後期から昭和初期にかけて、洋風ファッションの影響を受けた若い人たちをモガ、モボ(モダン・ボーイ)と呼んだ。大正デモクラシーの流れは１９２０年代までは若い世代のモダニズムを許容していたが、１９２９年ウォール街の株価大暴落から始まった世界恐慌と日中戦争でナショナリズムと軍国主義が台頭して、こうした風俗は姿を消した。

(✍5) **エマヌエル・L・メッテル**

ウクライナ出身のユダヤ系ロシア人。プロコフィエフなど多くの音楽家を輩出した名門校、ペテルブルグ音楽院で学んだ。

その後ペテルブルグ(1924〜91年はレニングラード)、カザンで音楽活動を続けたが、１９１７年のロシア革命を逃れてバレリーナのエレナ・オソフスカヤ夫人(米国亡命後はエレナ〈Helena〉からヘレン〈Helen〉名となる)と一緒にハルビンに渡り、ハルビン交響楽団の指揮者になった。

メッテルが来日したきっかけは、一年先に来日していた夫人が、メッテルをＪＯＢＫに推薦したという説もある。

宝塚歌劇団発刊の月刊誌、『歌劇』第六十号に「ロシアの名舞踊家、エレナ・オソフスカヤ嬢が今回宝塚音樂歌劇学校教授として就任されました」とあるので、これがエレナ夫人推薦説の根拠になっている。

服部良一と同じようにメッテルの個人指導を受けた朝比奈隆（指揮者）は、メッテルと指揮者契約のあった京大オーケストラのメンバーでもあったが、師と仰いだメッテルを次のように評している。

「メッテル先生は帝政ロシア時代末期のインテリ・タイプであり、純粋な完全主義者、芸術至上主義者で十九世紀末の、ものすごい精神的エリートということに落ち着く。私の見る限り、物理的な欲望のない人だった――」（『メッテル先生』）

（✍6）**響友会の生徒たちのヒット曲**

菊地博　「名月赤城山」（矢島寵児詞・東海林太郎歌）
灰田晴彦　「鈴懸の径」（佐伯孝夫詞・灰田勝彦歌）
平川英夫　「小島通いの郵便船」
佐野鋤　「東京シューシャン・ボーイ」（井田誠一詞・暁テル子歌）
飯田三郎　「ここに幸あり」（高橋掬太郎詞・大津美子歌）
「啼くな小鳩よ」（高橋掬太郎詞・岡晴夫歌）

原六朗　「お祭りマンボ」（原六郎詞・美空ひばり歌）、

「プリンセス・ワルツ」（門田ゆたか詞・コロムビア・ローズ歌）

レイモンド服部　「ゴメンナサイ」「ワゴンマスター」

Ⅳ．流行歌と軍歌の戦い

♪軍歌の全盛期／それは「露営の歌」からはじまった

霞ヶ浦の予科練にて。
左端、古関裕而、左から四人目・西條八十。

✼ 昭和十二年

☞ 七月七日　盧溝橋で日中両軍が衝突。

♪ 九月「露営の歌」〈伊藤久男他　歌・薮内喜一郎詞・古関裕而曲〉

♪ 十二月「愛国行進曲」〈森川幸雄氏、瀬戸口藤吉曲〉

〈流行歌と軍歌の戦い〉は昭和十二年「別れのブルース」の大ヒットの年から、水面下ではじまっていた。

七月七日の盧溝橋事件から間もないころ、東京日日新聞と大阪毎日新聞の共同企画で軍歌の歌詞を募集した。

わずか一週間に二万五千通を上回る応募があった。第一席の「進軍の歌」と第二席の歌詞が紙面で発表されて、日本コロムビアからカップリングで発売することになった。第一席は陸軍外山学校の軍楽隊長が作曲して、第二席の作曲はコロムビアにまかされた。

ちょうどそのころ、古関裕而は夫婦で満州を旅していたが、大連から神戸に向かう帰路の船の中で、コロムビアからの電報を受け取った。

そこには「急ぎの仕事をお願いしたい。神戸で降りないで門司まで行って、特急に乗って帰京されたし」と書いてあった。

当時の特急は、門司から東京まで十数時間かかった。車中での夫婦の会話もつきると、寝るか、読書するしかない。そんなときに東京日日新聞を広げてみると軍歌募集の発表記事があって、選者の北原白秋が第二席の藪内喜一郎の歌詞を絶賛していた。

「第二席は、兵士自身の歌としてつくられており、優れている。もし、これに素晴らしい曲がつくならば、日露戦争の時の「戦友の歌」に匹敵する歌が生まれるかもしれない」

白秋とは面識がある。それだけに興味をもった古関は、退屈な時間に曲をつけてみる気になった。

「汽車の揺れるリズムの中で、ごく自然にすらすらと作曲してしまった。私はその楽譜を妻にみせて二人で歌ったりした」(『鐘よ鳴り響け』)

東京駅に着いて、そのまま内幸町の東拓ビルへ行ってみると、ディレクターが列車の中で見た軍歌募集の発表記事をみせて説明しはじめた。しかも、一席の曲はもうレコーディング済みで、第二席の歌詞を「露営の歌」のタイトルで発売するので、至急、曲をつけてほしいといった。

こんな偶然は、北原白秋の〈形而上学的な予感〉と言ってもいいかもしれない。

とにかく「露営の歌」は第二席の歌詞なのでレコードはB面あつかいで世に出た。

勝ってくるぞと勇ましく　誓って国を出たからは
手柄立てずに死なれよか　進軍ラッパ聞くたびに
瞼に浮かぶ旗の波

このレコードは九月に発売されると、さっそく戦場にも送られたが、多くの兵士たちはB面の「露営の歌」をなんども聞いていた。それから二か月たって東京日日新聞の夕刊に「前線の勇士『露営の歌』を大合唱す」の見出しで、ポータブル蓄音機を囲んで手をふる兵士たちの写真がのった。

それからはコロムビアに行くたびに、「プレスが追いつけない」とか「これはレコード界、未曽有《みぞう》のヒットになりますよ」と声をかけられた。

「新橋駅でも、私が乗りかえる新宿駅でも歓送風景には〝勝ってくるぞと勇ましく〟の合唱が渦となって私の耳に聞こえてきた。」(『鐘よ鳴り響け』)

♫

翌昭和十三年の八月のことだった。

軽井沢で家族と夏をすごしていた古関のもとに、コロムビアから電話連絡があった。すでに文壇や画壇では作家や画家たちが動員されたが、中支派遣軍報道部から、とうとう作詞、作曲家たちにも「従軍と実践を体験してほしいと」と言ってきたのだ。音楽関係者はこのときが初めてで、西條八十、佐伯孝夫も招集された。

双発のロッキードが博多経由で上海までとんで、数日後、汽車で南京にむかった。

そこからは小型船で揚子江をのぼっていく。航行中も沿岸の砲声がなりやまないので、何度も村落や小さな町に停泊して、夜明けをまってから中国華東地方の〈特別市〉九江(チュウチャン)についた。

このとき古関は、はじめて自分の作曲した「露営の歌」が戦地で演奏されるのを聴いた。

疲弊した将兵たちが腰をおろして見あげる仮設ステージは、椅子どころか、筵《むしろ》も敷いていない野っぱらだった。陸軍軍楽隊の演奏に和して、やがて故郷に思いをはせる兵士たちの大合唱がきこえてきた。演奏が終わると山口常光隊長が古関を紹介するためにマイクの前にたった。

ここからは、古関の伝記にも転載された山口常光の文章（「陸軍軍楽隊史」〈露営の歌の感激〉）の一部を、引用させていただいた。

「『実は、この歌の作曲者である古関裕而先生が、今ここにいらっしゃるのです。皆さんの慰問のために、はるばる来られたのです。では、古関先生をご紹介いたします』というと、たちまち割れんばかりの拍手と歓声が起こった。それまで舞台の袖に立っていた古関氏は、私の紹介をも待たずにズカズカと舞台の中央にあるマイクの前に立って深々と頭を下げる。一瞬拍手も歓声もやみ、シーンと静まり返った野天演奏場に、どもるような細い声が聞こえた。

『みなさん。ご苦労様です。私、ただ今、ご紹介の古関です・・・』とまではやっと聞こえたが、それから数秒・・・。古関氏は頭を下げたまま、顔をあげない。なにかただならぬ古関氏の態度に将兵たちは呼吸をのんだまま、無音の静寂が続く。すると・・・、なんと古関氏は泣いておられるのだ。震える手で国民服のポケットからハンカチを出そうと、しきりにまさぐっていられる。やがてハンカチで目を覆ったまま、言葉なく、号泣する古関氏の声が、かすかに私の耳にまできこえた。

古関氏のこの感激は、たちまち全将兵の間に共感となって広がった。はじめは体裁をつくろう咳ばらいもきこえたが、それもやむと忙しく涙をふく者、うつ向いたまま、じっと涙の落ちるままでいる者・・・。ああ、なんというシーンであるか。』

このときの古関裕而は、ひとつの大衆歌謡が軍歌の性格を帯びていくことに、どんな感慨をいだいていたのだろう。

✤

当時の日本コロムビアの「邦楽総目録」は次のように発売レコードを分類していた。

国民歌謡（ＮＨＫ制作・放送）軍歌（軍師団歌・連隊歌）

愛国・時局歌（「露営の歌」などの戦時歌謡）

歌謡曲・流行歌（歌謡曲、映画主題歌）
芸術歌曲（クラシック・オペラ・歌曲）

「露営の歌」は軍歌の代表作になったが、愛国時局歌に入っていた。新聞社の応募作で、軍指導の歌ではないという解釈なのかもしれない。

「露営の歌」の大ヒットに刺激されたこともあって、同じ昭和十二年、政府は「国民精神の高揚をはかる歌」をつくることになり、「愛国行進曲」とタイトルを決めたうえで内閣情報部が詞と曲をそれぞれ懸賞募集することになった。

いま考えればおそろしいことだが、こんなことが閣議で決定されていた。

歌詞が57,578、曲が9,555の応募があった。

見よ東海の空明けて　旭日《きょくじつ》高く輝けば
天地の正気溌剌《はつらつ》と　希望は躍る大八洲《おおやしま》
〈森川幸雄詞、瀬戸口藤吉曲〉

翌年の正月新譜としての発売を義務づけされたが、レコードは各社から二十種類発売され、総枚数は約百万枚と報告されている。政府の期待どおり国策軍歌「愛国行進曲」は大ヒットしたことになる。

このころはレコード検察官という役職があって、各社のレコードの検閲やこうした国策レコードにかかわっていた。

そんな時局のなかで、「愛国行進曲」の影がうすくなるような流行歌のミリオン・ヒットが生まれて検察官たちを、あ然とさせていた。

♪流行歌の反撃

西條・古賀のゴールデン・コンビ

それは、昭和十三年の松竹映画、『愛染かつら』にはじまる。

原作を書いた川口松太郎は、この小説は西條八十作品の「母の愛」からイメージしたもので、映画主題歌の歌詞は西條八十以外に考えられないと、松竹にいった。

そんな伏線もあって、映画主題歌は八十と専属契約のあるコロムビアに回ってくることになった。

この映画は日本映画界にとってもひさびさの大当たりで、松竹はつぎつぎと続編を公開したが、西條八十は作曲の万城目正、竹岡信幸とコンビをくんで六曲の主題歌を書いた。

この主題歌がことごとくヒットした。

なかでも最大のヒットになったのが「旅の夜風」で、昭和十三年十月発売されて年末にはミリオンに近づいた。

「政府が総力を挙げて作った『愛国行進曲』でさえ、例の小川検察官をして『いい歌を作ったという点では意義があるが、それによって「旅の夜風」を駆逐するまでには、ついにいかなかった』と、口惜しがらせている始末であった。」（『戦争と流行歌』）

典型的なラブ・ロマンスの主題歌も、ある時はつらい男心をささえる効果もあったようで、「貧乏人は麦を食え」といった池田勇人（元首相）は、大蔵省時代からストレスが溜まると、この歌を、ダミ声をはりあげて歌っていた。

花も嵐も　踏み越えて
行くが男の　生きる途《みち》
泣いてくれるな　ほろほろ鳥よ
月の比叡を　独り行く

（西條八十詞、万城目正作曲、霧島昇、ミス・コロムビア〈松原操〉歌）

コロムビアは『愛染かつら』の映画主題歌だけで三百万枚のセールスをあげた。

苦労してとった西條八十の移籍が実をむすんだが、八十の獲得に執念をもやしたイギリス人秘書エドワードは、日米関係の悪化もあって、すでに帰国していた。

『愛染かつら』は昭和十四年十二月の映画『愛染かつら完結編』の主題歌「愛染草紙」でやっと終わった。

♫

1939年（昭和十四年）ナチス・ドイツがポーランドに侵攻してヨーロッパの緊張はいっきに高まったが、九月三日イギリス、フランスが参戦して第二次世界大戦がはじまった。

太平洋戦争が目の前まで近づいてきたころ、名曲「蘇州夜曲」をのこした西條八十、服部良一のコンビはこんな歌もつくっていた。

勝ってうれしい　銀座の柳
昇る朝日は　武者ぶるい

モダン娘も　日の丸片手
送る名誉の　赤だすき

（「軍国銀座娘」西條八十詞、服部良一曲　渡辺はま子歌）

日本の社会情勢は、銀座の柳まで右傾化するありさまだった。

昭和十五年、芸能人十六人に芸名を変更して改名届を提出せよ、と命令があった。その中にはディック・ミネも含まれていたが、関西の公演からかえってくると留守中にテイチクから芸名の変更届が出されていて、三根耕一になっていた。

英米のメジャー・レーベルも、こんな国でレコード・ビジネスを継続できなかった。日産グループの鮎川義介が、浮足立っていた外資系のビクター、コロムビアを買収したのは昭和十二年のことで、それからは日本ビクターの不振が目立ってきた。長いあいだ文芸部長としてビクターを支えてきた岡庄五も「自分の居場所がない」といって、レコード業界から去っていった。

音楽業界はますますきびしい軍部の検閲をうけることになり、この年の八月、出版法が改正され、レコード・メーカーは発売するレコードを二枚、内務省警保局に提出することを義務づけられた。

こんなとき、古賀政男がアメリカから帰ってきてコロムビアに復帰した。

もういちど、古賀がテイチクを退社した昭和十三年四月までもどるが、古賀政男はテイチク・レコードの最後の作品になった「人生劇場」のレコーディングが終わると辞表を提出した。

契約はまだ継続期間中だったので、テイチクはとうぜん法的な手段に訴える決意をつたえた。そのことは古賀の計算に入っていたのだろう。

十一月十四日、古賀は外務省の音楽親善使節として、豪華客船滝田丸でアメリカに旅立ってしまった。

外務省の記録に親善使節として古賀の名がのっていないことから、この派遣を公式な親善使節かどうか疑問視する著書もあるが、アメリカでの古賀は、少なくとも日系人慰問の役割はじゅうぶん果たしていた。

古賀は一年ちかくアメリカにいたが、1939年（昭和十四年）九月一日、ヒットラーがポーランドに侵攻したことを知って、あわてて帰り支度をはじめた。

古賀とテイチクの契約期間はアメリカ渡航中に満了してしまったが、留守中に古賀の委任した法律事務所とテイチクの戦いがつづいていた。

争点は契約満了後のプロデュース印税になった。契約上は古賀商店が制作した全作品に無期限で印税が発生する。これをくつがえそうとするテイチクは、レコード制作に参加している歌手の権利を主張してゆずらなかった。

今では契約内容までチェックできないが、有利なはずの古賀商店が譲歩して、とうとうプロデュース印税の権利を二十万円で譲渡している。

昭和十四年十月に帰国した古賀政男は、テイチクとコロムビアの密約のとおり、古巣にもどった。

翌年、約六年ぶりに西條八十とくんだ「誰か故郷を想わざる」(霧島昇・歌)は、ゴールデン・コンビの復活で話題になったが、そのぶんだけイニシャルも大きくなった。ところが店頭にまかれたレコードは、ほとんど動きがなかった。

戦時体制のなかで、大量の在庫をかかえたコロムビアの営業部は途方にくれていた。そんなとき、営業部長が名案を思いついた。中国向けの慰問袋と一緒に、無料で在庫のレコードを戦場に送ってもらう交渉をまとめてきたのだ。

日中戦争は中国各地に戦火が拡大していたが、こうして海をわたった「誰か故郷を想わざる」は最前線まで配布された。故郷を慕う兵士たちの心情は「誰か故郷を…」と一緒に、戦場からふたたび海をわたってかえってきた。

昭和十五年のラジオ受信契約は全国で五百万を越えていたが、兵士たちの郷愁は、日本本土の電波にのって全国にとどいた。

花積む野辺に　陽は落ちて
みんなで肩をくみながら
歌をうたった　帰り道
幼馴染の　あの友この友
ああ　だれか故郷を想わざる

この歌はどう考えても軍歌の範疇に入るものではないが、チェックのきびしいラブ・ソングでもない。このヒット曲はラジオから、またかというほど流れてきたが、検察官も、さすがに何のクレームもつけられなかった。

古賀政男が古巣にもどったとき、日本コロムビアの外国人役員はすべて帰国していた。ところがビクターとは対照的にレコード・セールスは絶好調だった。

開戦前年まで、西條、古賀、服部の日本のポップスを代表する三人は、昭和前期の総括ともいえるエネルギーでヒットを量産している。

昭和十五年だけ眺めても、復活したゴールデン・コンビを柱に、日本コロムビアは古賀の曲だけで、これだけのヒット曲があった。

「春よいずこ」（西條八十作詞、藤山一郎、二葉あき子歌　東宝映画「春よいずこ」主題歌）
「なつかしの歌声」（西條八十作詞、藤山一郎、二葉あき子歌　東宝映画「春よいずこ」挿入歌）
「蛇姫絵巻」（西條八十作詞、志村道夫、奥山彩子歌　東宝映画「蛇姫様」主題歌）
「熱砂の誓い」（西條八十作詞、伊藤久男歌　東宝「熱砂の誓い」主題歌）
「紅い睡蓮」（西條八十作詞、李香蘭歌 東宝映画「熱砂の誓い」挿入歌）
「相い呼ぶ歌」（西條八十作詞、霧島昇、菊地章子歌 松竹映画「愛の暴風」主題歌）
「新妻鏡」（佐藤惣之助作詞、霧島昇、二葉あき子歌、佐藤惣之助コロムビア専属第一作・東宝映画「新妻鏡」主題歌）
「目ン無い千鳥」（サトウハチロー作詞、霧島昇、松原操歌 東宝映画「新妻鏡」主題歌）

このころのコロムビアのシェアは五十%という、今では考えられない驚異的な数字に近づいていたと言われている。

♪

昭和十六年(1941)十二月八日、ハワイ真珠湾攻撃の日米開戦以来、ますますレコードの規制がきびしくなった。

まともなレコードを作れなくなったレコード各社のカタログは、ほとんど軍歌一色になった。

作詞家として軍歌を量産したのは西條八十だったが、もっとも多くの軍歌を書いた作曲家は山田耕筰だったかもしれない。百曲を越えているという調査記録もある。

古関裕而もおおくの軍歌を書いた作曲家のひとりだが、「露営の歌」「暁に祈る」「若鷲の歌」(✍1)など、軍歌のイメージをこえて愛唱された名曲もおおかった。

古賀政男は十六年から十七年までは何曲か軍歌を書かされたが、「ああ若林中隊長」「勝利の日まで」(昭和十九年)など、わずかで、売れっ子作曲家にしてはほとんど軍歌にかかわっていない。

昭和十六年の「そうだその意気」は西條八十とコンビをくんだが、レコーディングに立ち合った軍人からなんども注文をつけられて、それからはまったく書かなくなった。作詞では、西條八十が圧倒的におおかった。

戦後の、米軍の思想戦犯査問は、作曲家よりも、とうぜん思想性のある詩人にきびしい目がむけられた。

西條八十は茨城県下館（現・筑西市）の疎開地で終戦をむかえている。

ある日、読売新聞を開いてみると、「比島決戦の歌」（古関裕而曲　酒井弘、朝倉春子歌）など、おおくの軍歌を作った西條八十は絞首刑にされるだろう、と書いてあった。八十はこの記事を読んで戦犯として収監されることを覚悟したという。

読売新聞の記者だった吉本明光（音楽評論家）も、その記事をよんで、「あの繰返し句（「比島決戦の歌」）はあなたの創作ではない。いざという時には、ぼくが生き証人に立ちます」と手紙をくれたが、それほど周囲も心配していた。

決戦かがやくアジアの曙

命惜しまぬ若桜
いま咲き競うフィリッピン
いざこい　ニミッツ　マッカーサー
出てくりゃ　地獄に逆落《さかお》とし（昭和十九年三月発売「比島決戦の歌」

この歌のレコーディングに立ち会った証人が、もう一人いる。

この曲を作曲した古関裕而もスタジオにいた。

「西條氏と私、新聞社の幹部、軍部の将校など参集。（中略）某将校が『敵将の名前を国民に印象付けることが一番だ』と強硬に主張して譲らない。西條氏は『そんな勝手なことを言われても入れる余地はないし、人名を入れるのは断る』と語気を強めて反論されたが、将校はどうしても譲らず、ついに西條氏が折れた。」（『鐘よ 鳴り響け』）

この歌の過激さは軍部の指導があったとはいえ、じゅうぶん米軍の感情を害しただろう。戦後の西條八十は、ＧＨＱ（連合軍総司令部）から佐々木信綱と共に軍歌の二大作家に認定され、全著作物をチェックされることになった。八十を救ったのは戦犯追放者の審査委員長だった牧野英一（東大教授、刑法学者）の弁護だったといわれている。

西條八十の名は戦犯追放者リストに最後の最後まで残っていたが、やっと土壇場で削除された。

戦時中の服部良一はもっともアクティヴに活動した作曲家だった。慰問ではなく、陸軍報道班員として奏任佐官待遇で上海陸軍報道部に配属されている中国本土の慰問音楽会でも上海交響楽団のために六十人ものオーケストラ・アレンジを書き、指揮棒をふった。

昭和十五年にこんな情勢下で二つの名曲が生まれている。

李香蘭（山口淑子）、長谷川一夫主演の映画『支那の夜』は、同名のヒット曲（西條八十作詞、竹岡信幸作曲、渡辺はま子歌、昭和十三年発売）を映画化した。服部良一の名曲「蘇州夜曲」（西條八十作詞、渡辺はま子、霧島昇歌）は、この映画の挿入歌として生まれている。

服部の自伝は、戦火のなかの音楽活動も書かれているが、みじめな体験がほとんどないのは中国にいたからで、太平洋戦線の悲惨な戦況を知らなかった。中国戦線はまだ「日本軍優勢」と言われていたくらいで、戦時体制の中でも、ストレスを音楽への情熱に転化させることができた。

アヘン戦争以来、欧米列強がなだれ込んだ上海の街は、アヘン、セックス、音楽もふくめて、欧米のあらゆる退廃がはびこって、この街を〈魔都〉とよばせた。

クラブやダンス・ホールがあふれ、アメリカのジャズ・ミュージシャンもやってくる。戦前の昭和十年前後は上海に行けば、太平洋をこえなくても本場のジャズが聴けたことで、上海にわたった日本のジャズ・メンもおおかった。

大当たりしたミュージカル『上海バンスキング』は、そのころの上海を舞台にしている。服部はジャズ・メンでもあり、音楽の仕事さえあれば上海は居心地のいい街だった。

それでも、とうとう終戦をむかえたときは、さすがに深刻だった。

終戦の日、昭和二十年八月十五日、服部はまだ上海にいて、陸軍報道部で日本の敗戦を知らされた。東京はアメリカの空爆で焼け野原になったという話をきいたので、野口久光（映画・音楽評論家）たち報道部のメンバーと一緒に映画館に入った。

日本が無条件降伏したあとは、中国人でさえも親日派が拘引されるという時節だったので、現地人のような顔をしてニュース映画をみていた。

東京の空に無数の爆弾をふらせたＢ29の爆撃シーンに、中国人が拍手喝采するなかで、服部たちは涙をながしながら同じように手をたたいていた。

◆昭和十七年（１９４２）
レコード産業も軍儒品生産への移行を開始。
十月　敵性音楽絶滅をめざしたリスト作成委員会が発足。
六月五日　ミッドウェイ海戦（日本海軍が惨敗）
八月　米軍ガタルカナル島に上陸。

◆昭和十八年（１９４３）
ジャズ・レコードの発売、制作を禁止。
英米などの敵対国の敵性音楽約千曲の禁止リストを配布。
大本営陸軍部より敵軍後方攪乱のため、謀略レコードの制作の特命を下る。
四月十八日　山本五十六元帥、長官機が撃墜されて死亡。
五月二十二日　アッツ島玉砕。
九月八日　イタリー無条件降伏。

◆昭和十九年（1944）
米国型楽器編成の楽団禁止。少女歌劇禁止。
四月二十五日　ビクター、軍需会社に指定される。
八月　コロムビアは疎開工場第一号として真岡工場竣工。ポータブル蓄音機と軍需品の製造を開始。
七月一七日　サイパン島玉砕。
八月二九日　連合軍パリ占領。
九月一八日　兵役年令十八歳に引き下げ。
◆昭和二十年（1945）
一月　コロムビアはレコード・プレス台を供出し、レコード生産不能となる。
三月十日　ビクターの築地文芸部スタジオ、空襲で焼失。
四月四日　ビクター横浜工場、空襲を受け85％を焼失。
五月二日　ベルリン陥落。
八月六日　広島に原爆
八月十五日　日本無条件降伏。

野口雨情は一曲も軍歌を書かなかった。「戦争は唄にはなりませんよ」といって潔く筆を折った。雨情は広島、長崎に落とされた原子爆弾も日本の敗戦を知らずに、疎開地の宇都宮市外鶴田の羽黒山麓で昭和二十年一月二十七日に死んだ。

中山晋平は「自分は三人のご亭主に仕えた女房である。」と（『新青年』昭和八年八月号「三度目の旦那」）書いたことがあった。

三人の亭主とは北原白秋、野口雨情、西條八十のことだが、白秋は開戦直後の昭和十七年に他界し、八十は戦前に中山晋平のホームグラウンド、ビクターを去っている。中山は、最後の亭主を看取る思いで雨情を見送ったのだろう。

中山晋平は昭和十二年だけで十曲以上の軍歌を書いている。どちらかと言えば戦時体制に協力的だったが、それでも、軍歌をふくめて、ラジオから聴こえてくるような名曲は書けなかった。「軍歌百選」にさえ一曲ものっていない。

♤

中山晋平のプライドと自信が、大きくゆらいだ出来事があった。

戦時童謡の歌詞を日本少国民文化協会が一般募集して、当選作「お山の杉の子」（吉田テフ子詞、サトウハチロー補作）に、中山と佐々木すぐるの二人が曲をつけたことがあった。主催した日本少国民文化協会は何者なのかわからないが、東條英機の翼賛政治会が後援して、協賛の毎日新聞が童心に「尽忠報国」の熱い心をよびかけた。こんな背景もあったので事実上の競作でも、中山はいやとは言えなかったし、自信もあったのだろう。結果は佐々木すぐるの曲が採用され、「月の砂漠」を書いた作曲家の、もう一つの代表作になっている。

中山晋平の曲は落選したわけで、作曲家としてははじめての屈辱感を味わっている。

戦後、中山晋平はすっかり忘れられた存在になったが、『羅生門』で世界的な映画監督になった黒沢明が、『生きる』の感動的なシーンで志村喬に「ゴンドラの唄」を歌わせた。

いのち短し　恋せよ少女《おとめ》
赤き唇あせぬ間に
あつき血潮の　冷えぬ間に
明日の月日は　ないものを

（「ゴンドラの唄」吉井勇詞・中山晋平曲／芸術座「その前夜」劇中歌）

中山は、死の一か月まえにこの映画をみている。

恵比寿駅にちかい、場末の映画館に座っていた中山晋平を憶えていた人がいた。年齢よりも老けてみえたが、スクリーンから映像が消えて館内が明るくなっても、しばらく立ち上がろうとしなかった。

大正、昭和にかけて第一線を走りつづけた作曲家の脳裏に浮かんでいたのは、癌に侵された誠実な老官吏への共感ではなかったはずだ。

中山晋平の才能を信じてくれた島村抱月のさびしい面影であり、松井須磨子の貧しい歌声だったのではないだろうか。

♪「リンゴの唄」が聴こえてきたころ

戦後の日本を象徴するヒット曲「リンゴの唄」「東京ブギウギ」「異国の丘」は、昭和初期からのライバルだった日本コロムビアと日本ビクターから生まれている。

戦後のさまざまな背景から生まれたヒット曲には、〈復興への希望〉〈アメリカ文化への憧憬〉〈敗戦の傷跡〉など、それぞれの心情が込められていた。

敗戦はレコード産業にも、ふかい傷痕をのこしていた。

レコードの資材は底をつき、品薄になれば高騰をまねいた。戦前、約五千店あったレコード店のほとんどが店舗をうしない、やっと店を開いていたのは全国で約五百にもみたなかった。

コロムビアのレコード部門とスタジオがあった東洋拓殖ビルは、皇居に近かったおかげで被弾をまぬがれている。

米軍はまだ、皇居の周辺に手心をくわえる余裕があったので、内幸町界隈の市政会館ビルも、NHKビルも焼け野原の中で、はずかしそうに建っていた。幸運なコロムビアは川崎工場もほとんど戦災の影響をうけていない。

日本ビクターは運が悪かった。

昭和五年竣工のビクター横浜工場は、東洋一のレコード蓄音機工場といわれたが、昭和二十年四月四日の大空襲で八十五％を焼失した。疎開先の前橋工場まで全焼。スタジオと文芸部のあった東京築地の事務所も空爆をうけて全焼したので、戦後しばらくは、まったく仕事にならなかった。

日本コロムビアは終戦から三か月たった十一月に、なんとか三万枚のレコードを市場に出したが、日本ビクターは焦土のなかで途方にくれていた。

日本コロムビアの代表取締役・武藤与市は、ライバル会社に東拓ビルのスタジオ使用を許可して、レコードのプレスまで引き受けている。ビクターの戦後第一回発売レコードは、コロムビアの川崎工場でプレスされた。

日本ビクターはスタジオも工場の復旧もおくれていたので、コロムビアから資材の供給を受けて、なんとか犬のマークを市場に出していた。

戦後の映画界も苦労していた。

ＣＩＥ（民間情報境域局）にデビッド・コンデ（映画演劇課長）というワンマンがいて、脚本にはないキス・シーンまで強要する始末で、映画関係者は手を焼いていた。

松竹映画『そよかぜ』（昭和二十年十月十一日公開）は戦後初の映画で、どうしても十月初旬に間に合わせるため、二十五日で撮りあげた。そのおかげで、奇跡的にコンデのチェックを受けないですんだ。

「ムシズを走らせたいと思う人はこの映画の最初の十分間を経験しても十分である」

（昭和二十年十月十日『朝日新聞』）

『そよかぜ』の評判はこんな、しんらつな映画評がのるほどさんざんだったが、主題歌の**「リンゴの唄」**は評判がよかった。

古賀政男のテイチク騒動のとき、テイチク・レコードにいった川崎清は、戦後、またコロムビアにもどっていたが、仁木他喜雄（「リンゴの唄」の編曲者）から、こんな電話をもらった。

「いま松竹で撮影中の『そよかぜ』の主題歌が、NHKで放送されて大好評なので、ぜひレコードにしてください」

つまり松竹はレコード化される前にサトウハチローと万城目正に詞曲を発注して、並木路子（松竹歌劇団）の歌を、映画用に録音していたことになる。

この映画の監督は、終戦当時の松竹で、制作部長を兼務していた佐々木康だった。それだけに最初から戦後初の映画を目指して、〈十月封切り〉をかんがえていた。こんな早業が実現できたのは、たまたま戦中に書かれた音楽映画「百万人のコーラス」の脚本がのこっていたからだ。これに手をくわえて、スター誕生までのサクセス・ストーリー、『そよ風』になった。

『戦後史ノート』（上）に、恩地日出男（映画監督）がインタビューした佐々木康の話が載っている。これがもっとも真相に近いだろう。

佐々木はヒロインさがしを、まず、SKD（松竹少女歌劇団）に相談した。それから候補を二人にしぼったが、まもなくSKD公演があったので、舞台を見たうえで並木路子をえらんだ。ここまでの進行では、レコード・メーカーの出る幕はなかったわけで、コロムビアの川崎清は、ラジオから「リンゴの唄」が流れてきたころ、はじめて並木路子に会っている。

大船撮影所まで行ってレコーディングの打ち合わせをしたが、あまり気がすすまなかった。歌劇団出身の歌手が成功していなかったことと、サトウハチローの詞が気に入らなかった。

戦前からのディレクターの川崎は、韻律の歌謡詞になれていたので、サトウの詞の奔放さと明るさが邪魔だったようだ。

赤いリンゴに　口びるよせて
だまってみている　青い空
リンゴはなんにも　いわないけれど
リンゴの気持は　よくわかる
リンゴ可愛や　可愛やリンゴ

（サトウハチロー詞・万城目正曲　並木路子、霧島昇歌）

レコード発売は映画公開の翌年、一月の予定だったが、映画の人気にあおられるありさまで、コロムビアは大急ぎで十二月に市場に出した

♫

戦後、ラジオからジャズがあふれ出したのは、日本がポツダム宣言を受諾してから、わずか一か月後のことだった。

米軍専用ラジオ局ＦＥＮの前身ＷＶＴＲは一九四五年の九月末には放送を開始したが、毎週土曜日にアメリカン・ポップスのヒット曲を紹介する「ザ・ヒット・パレード」が流れていた。

米軍のラジオ局だけではない。ＧＨＱ（連合軍総司令部）はＮＨＫの番組にも干渉したので、アメリカン・ポップスとジャズを積極的にかけるように指示していた。

ラジオから連日ジャズが聴こえてきたとき、作曲家・服部良一がまっさきに思い出し

たのは笠置シズ子だった。

服部と笠置のはじめての仕事は戦中のことで、帝劇のごったがえす稽古場の片隅だった。

松竹楽劇団第一回公演「スイング・アルバム」に、笠置シズ子は松竹歌劇団のスターとして出演したが、服部良一は指揮者をつとめていた。

「どんなにすばらしいプリマドンナかと期待していたら、薬びんをぶら下げ、トラホームのように眼をショボショボさせた女性で、これがスターとはとても思えない。『よろしゅう頼んまっせ』とあいさつされたが、どこか裏町の子守女かと見まがうようだった。ところが、その夜遅く始まった舞台げい古では、思わず目を見張らされた。鉄砲玉のように飛び出してきてジャズに乗って踊るその動きの派手でスイングのあること・・・」

（『私の履歴書』服部良一著）

この公演で創作意欲をかきたてられた服部は笠置のためにつぎつぎと曲を書いたが、昭和十八年に「ジャズ・レコードの発売、制作禁止」が公示されて、なんの実りもなかった。

服部良一と笠置シズ子

「東京ブギウギ」（鈴木勝詞・笠置シズ子歌）は昭和二十二年十一月、日本コロンビアから発売されたが、戦後三年目の年が明けると派手に売れはじめた。服部良一が長いあいだ温めていたブギウギは、ジャズがあふれ出した最高の出番に、笠置シズ子という才能をえて開花した。和製ブギウギは、闇市が五万軒にふくれ上がった東京のバイタリティーをあおるように巷に流れていた。

♫

おなじ年の八月八日、「ＮＨＫ素人のど自慢音楽会」は三年目をむかえていたが、復員兵らしい青年があらわれて聴きなれない歌をうたいだした。

三年前の八月八日は、ソ連（現・ロシア）がとつぜん、日本に宣戦布告した日だった。中国、東南アジアからの復員がようやく実現したのは昭和二十二年のことで、まだ多くの聴取者がそれぞれの肉親の身を案じていた。

ＮＨＫのラジオから「**異国の丘**」（増田幸治詞・佐伯孝夫補作詞・竹山逸郎、中村耕造歌）が聴こえてきたとき、まだ小学生だった橋本龍太郎（元総理）は、鮮明にこの日をおぼえていた。

「シベリアからの復員兵の方が『収容所の仲間が、誰が作ったともなしに、皆で歌った歌』と前置きしてこの歌を歌ったものだ。聴きながらアナウンサーが泣いて声にならず、合格、不合格の鐘を打つ人が、鐘を鳴らせなくなって、歌が終わっても、しばらく間があいたことまで今も覚えている。やがて、ヤケクソのように鐘が激しく鳴った。拍手が津波のようにラジオからきこえてきた。ちょうど昼食どきで、父も母もラジオと一緒に泣いていた。私はそんな感情の中でショボンとした感じで、歌とそして涙声を聴いたものだった」

（『月刊78　SPなつかしの歌』）

この歌を作曲した吉田正伍長は満州戦線でソ連軍と戦って負傷したまま、俘虜としてシベリアに送られた。吉田はながい冬がくると、すべての生物が雪におおわれる極北の労務のあとで、約三十曲の歌をつくったが、きびしい監視下で譜面に残すことさえできなかった。

その中の一曲が自然発生的に虜囚の地で歌われていた。

ようやくかえってきた復員兵たちは、シベリアで涙を流しながらうたった歌を、故郷に帰ってからも歌っていた。

今日もくれゆく異国の丘に
友よ辛らかろ切なかろ
がまんだ待ってろ　嵐がすぎりゃ
帰る日も来る　春が来る

「NHK素人のど自慢音楽会」の歌の余韻は、一人の作詞家の心にもとどいていた。

「自宅で昼寝半分にラジオを聴いていた日本ビクターの専属作詞家・佐伯孝夫がむっくり起きあがってビクターに電話した。」（『戦後芸能史物語』朝日新聞学芸部編）

それからの「異国の丘」の大ヒットは、日本ビクターの新体制を予見する出来事でもあった。

中山晋平に代わって日本ビクターのエースになったのは、この歌のヒットでビクター専属になった吉田正だったたし、ビクター作詞陣の中心となったのは、吉田正を最初に認めた佐伯孝夫だった。

ニッポンの歌のベル・エポックを作った人たちは、もう誰もいなくなった。

昭和を生きたレコード・マンの遠い夢のよりどころも、今では日比谷界隈の公園と市政会館しか残っていない。

かつて、丸の内、日比谷界隈に通った西條八十の一つの詩は、あたかもニッポンのうたを作った戦友に遺したように、なつかしい人たちの住家が浮かんでくる。

わたしはひとつの村を想像する。
そこには世に亡い懐かしい人々が
うち群れて住家をつくってゐる。
（西條八十「村」より）

復興の年譜（1945〜1953）

昭和二十年十月　日本コロムビア、レコード生産開始（月産33,275枚）
昭和二十一年一月　日本ビクター、戦後初のレコードを発売（「燦めく星座」「森の小径」再録盤）
十月　日本ビクター、戦後初吹込み（「港の見える丘」他、コロムビア・スタジオで収録）
昭和二十二年一月　「港の見える丘」（詞・曲・東辰三、平野愛子歌、ビクター）
三月　「東京ブギウギ」〈鈴木勝詞、服部良一曲、笠置シズ子歌、コロムビア〉
十一月　日本ビクター、築地スタジオ復旧。
十二月　日本コロムビア、米国レコード原盤輸入
昭和二十三年八月　「異国の丘」（益田幸治詞、吉田正曲、竹山逸郎歌、ビクター）
九月　日本コロムビア、米コロムビアと録音原盤輸入契約を締結。
十一月　「青い山脈」〈西條八十詞、服部良一曲、藤山一郎、奈良光枝歌、コロムビア〉
昭和二十四年四月　美空ひばり日本コロムビアと専属契約。
八月一日　日本コロムビア、LPレコード試作（輸入原盤、輸入材料使用）。
昭和二十五年一月　日本ビクター、横浜本社工場復旧。
三月

七月　「東京キッド」（藤浦洸詞、万城目正曲、美空ひばり歌、コロムビア）
八月　日本ビクター、米ＲＣＡ原盤によるレコードの発売開始。
九月　日本コロムビアの月産レコード枚数、364.985 枚となる。
十二月　日本コロムビア、米国フェアチャイルド製テープ録音機を輸入。磁気テープによるレコーディングを開始。
昭和二十六年一月　日本ビクター、企業再建整備法を申請。
四月　日本コロムビア、初のＬＰレコードを発売（ワルター指揮・ニューヨーク・フィル「ベートーヴェン交響曲第５番・運命」）。
九月　日本ビクター築地スタジオ、米マグネコーダー 19cm/s による磁気テープ録音を開始。
昭和二十七年三月　日本コロムビア・レコード生産高戦後最高を記録（6,832,889）
五月　日本コロムビア倍額増資を発表。資本金一億二千万円となる。
十二月　中山晋平死去（12.30）
昭和二十八年九月　日本ビクター、全行程国産化のＬＰレコードを発売。（ラロ「スペイン交響曲」）

✍ supplement

（✍1）古関裕而の主な作品
1931『紺碧の空』（詞・住治男）早稲田大学応援歌
1935「船頭可愛いや」（詞・高橋掬太郎／音丸）
1936「阪神タイガースの歌〈六甲颪〉」（詞・佐藤惣之助／歌・中野忠晴）
「慰問袋を」（詞・高橋掬太郎／歌・伊藤久雄）
1937「露営の歌」（詞・薮内喜一郎／歌・中野忠晴、松平晃、伊藤久雄、霧島昇、佐々木章）
1940「暁に祈る」（詞・野村俊夫／歌・伊藤久雄）
1941「海の進軍」（詞・海老名正男／歌・伊藤久雄、藤山一郎、二葉あき子）
1943「若鷲の歌〈予科練の歌〉」（詞・西條八十／歌・霧島昇、波平暁男）
1944「ラバウル海軍航空隊」（詞・佐伯孝夫／歌・灰田勝彦）
1947「夢淡き東京」（詞・サトウハチロー／歌・藤山一郎）
「白鳥の歌」（詞・若山牧水、歌・藤山一郎）
「雨のオランダ坂」（詞・菊田一夫／歌・渡辺はま子）
「三日月娘」（詞・薮田義雄／歌・藤山一郎）

1948「とんがり帽子」（詞・菊田一夫／歌・川田正子）
「フランチェスカの鐘」（詞・菊田一夫／歌・二葉あき子）
1949「長崎の鐘」（詞・サトウハチロー／歌・藤山一郎）
1949「イヨマンテの夜」（詞・菊田一夫／歌・伊藤久雄）
1950「ドラゴンズの歌」（詞・小島情、歌・伊藤久雄）
1951「サクランボ大将」（詞・菊田一夫／歌・伊藤久雄）
「ニコライの鐘」（詞・門田ゆたか／歌・藤山一郎）
1952「黒百合の歌」（詞・菊田一夫／歌・織井茂子）
1953「君の名は」（詞・菊田一夫／歌・織井茂子）
「君いとしき人よ」（詞・菊田一夫／歌・伊藤久雄）
1954「高原列車は行く」（詞・丘灯至夫／歌・岡本敦夫）
1955「花売り馬車」（詞・西條八十／歌・美空ひばり）
1958「オリンピック賛歌」〈第一回アテネ大会の譜面を採譜したオーケストラ編曲〉
1964「オリンピック・マーチ」（演奏・陸上自衛隊中央音楽隊）
1970「我ぞ覇者～慶応義塾大学応援歌」（詞・藤浦洸）

終章・美空ひばりの昭和

美空ひばりと西條八十

♬戦後と天才・少女歌手

戦後史に残るマッカーサーの日本観、「日本人は12歳の子供だ」は、「連合軍司令長官」を解任され、日本を去ってからの発言だった。

1951年五月、アメリカ上院外交委員会と軍事委員会は、帰国したマッカーサーを招喚して合同の聴聞会（1951年5月3日〜5日）をひらいた。この密室から、なぜか、

〈日本人は12歳〉だけがメディアにもれて有名になった。

日本政府が検討していたマッカーサー記念館の建立案も、〈このひと言〉で立ち消えになっている。


昭和の歌姫・美空ひばりのレコード・デビューは、マッカーサーの日本人観と同じ、十二歳だった。

平岡正明はひばりのデビュー盤を聴いて「年齢的には十二歳の少女に、近未来の戦後歌謡曲のレベルが宿ったとしか記述しようがない。」(『別冊 MUSIC MAGAZINE』1986・6・30)と書いた。

笠置シズ子は、平岡と同じように美空ひばりの歌に、末恐ろしい「近未来のレベル」を認めた最初の人だったのかもしれない。ブギの女王とまで言われた笠置は、まだデビュー前の少女歌手・美空ひばりに、自分の持ち歌をうたうことを禁じたことがあった。

このあまりにも淋しい狭量を逆説《パラドックス》として考えれば、ジェラシーを駆り立てるほど、ひばりの歌は「たかが子供の歌」ではなかったことになる戦後の音楽的なエネルギーは、ビールの栓でも引き抜いたように解禁されたアメリカのジャズやポップスが溢れ出した。日本中にちりばめられた米軍のベース・キャンプやクラブは日本人ミュージシャンのワークショップになった。

♫

伊東ゆかり
一九四七年生まれ　歌手
小学生のころ進駐軍のキャンプでベースを弾いていた父親について行って
アイ　ラブ　パリスを歌ったのが初めて（中略）
歌がよければ口笛を吹いてアンコール　モア　モアだが
うまくないとブーイング　これが嫌だった
自分にはノースマイルという綽名がついていた（中略）
あるとき将校クラブでアニバーサリーソングを歌ったとき
白髪まじりの夫婦が自然に踊りだした
「ああ、私の歌でこうやって踊ってくれるのかなって、そのとき初めて、歌っていることがうれしいなって感じた」

藤家虹二
ジャズクラリネット奏者
アメリカ本土の名の知れたジャズマンが兵隊としてきていて
飛び入りしてくると
我々一同楽器を持ったまま直立不動の感じで演奏したのを覚えている
我々にとってあそこはジャズの道場だった
あそこで受けるか受けないかが心にびしびし響いてきた
ＥＭクラブがあったお陰で日本のジャズが急速に成長した
とはっきり言える

薗田憲一（＆デキシーキングス）
東京駅丸の内口で仕事を求めるミュージシャンたちがたむろしていると
夕方四時～六時米軍のトラックやバスが迎えに来る
「トランペットはいないか」

「トロンボーン誰かいないか」
いわば日雇いで車に乗る
運転手は日本人でこれが随分威張っていた
バンドリーダーがタバコをワンカートン差し出し
「よろしくお願いします」
と機嫌を取った　嫌な思い出だ

（いずれも、川崎洋『ＥＭクラブ物語』より）

詩人・川崎洋が戦後を写したこんな光景は、連日のように都心のターミナル駅で展開されていた。東京駅だけではない。戦後の新宿駅甲州街道口（南口）の夕暮れどきは、立川、横田、府中、ジョンソン（入間基地）などの米軍基地の娯楽施設クラブに向かう、十数台のバスやらトラックが集まってきた。ここでバンドの欠員を調達したりする仲介業者もいたので、日雇いの仕事を探しにくるミュージシャンたちも群れていた。

最も大規模な横須賀のＥＭクラブ（旧日本海軍下士官・兵集合所）には七つのクラブがあったが、毎日百数十名のミュージシャン、芸能人たちが出演した。米軍キャンプから育った多くのアーティストの中には、後に美空ひばりと縁のある人たちの名も見える。

原信夫とシャープス&フラッツ／東京キューバンボーイズ／渡辺弘とスターダスターズ／渡辺晋（渡辺プロ社長）とシックス・ジョーズ／ジョージ川口（ドラムス）／松本英彦（トランペット）／中村八大（ピアノ・作曲家）／小野満（ベース）／ハナ肇とクレイジー・キャッツ／ワゴン・マスターズ（井原高忠〈TVプロデューサー〉、堀威夫〈ホリプロ会長〉、小坂一也、など）／江利チエミ／ペギー葉山／松尾和子／淡谷のり子／ナンシー梅木／石井好子／雪村いずみ／弘田三枝子／フランク永井。

♪

昭和のもう一つの日本的な興行の流れは、列車に揺られ、バスに揺られて国内各地を巡業する芸能人のケースだった。

北に向かって旅する歌い手たちも、バンド・マンも、漫才、手品師などの芸人たちも、ターミタル駅での待ち合わせ場所は上野駅中央改札口の電報局前と決まっていた。

芸人も歌手もバンド・マンたちも、前日の夜の仕事が終わったら、衣装とか楽器とか小道具を上野駅に預けておく。早朝、電報局前に集合してから荷物を引き出して、ロード・マネージャーから切符を受け取った。仕事を求めてここに集まってくるミュージシャンもいたので、朝の電報局前はいつもごった返していた。

美空ひばりの戦後は、どちらのルーツにも属していない。少女歌手がそのまま東京、横浜の、いわば戦後日本の中心で活動しながら、スターの座についた。このこと自体が〈美空ひばりの奇跡〉でもあった。

でも、ひばりは一度だけ、「船頭可愛や」のヒットで知られる音丸一座の中国、四国巡業に加わったことがあった。このとき、ひばり親子を乗せたバスが四国山脈の山道から転落して、立っていた車掌が死亡した。他の乗客たちは軽傷ですんだが、幼い少女歌手だけが乗客の下敷きになって瀕死の重傷を負った。

この思いがけない災難から、ひばりの活動は東京、横浜が中心になった。

そんなころ、当時のスターだった小唄勝太郎の前歌の話が舞いこんできた。横浜国際劇場は戦後落成した二千人の収容能力を持つ大劇場だったが、勝太郎が気に入ったことで五月一日の初演から出演がきまった。

この日から、横浜の少女歌手に運が向いてきた。

日劇の岡田恵吉（演出家）の耳に「横浜に面白い子がいる」という噂が届いたのも、横浜公演があってのことだ。そのこともあって、この劇場の支配人だった福島通人が、美空ひばりのマネージメントを引き受けることになった。

日劇小劇場のオーディションに合格したひばりは、岡田の演出した伴淳三郎主演の『新風ショー』に出演して、芸名も美空和枝から美空ひばりになって、芸能界のなかでも天才少女の存在が噂に上るようになる。

念願の日劇の初舞台は『ラブ・パレード』（昭和二十四年一月）で、主演の灰田勝彦に恋する姉妹の妹役だったが、ショーのなかで笠置シズ子の「ヘイヘイブギ」を歌うことになった。

日劇から服部良一を紹介されて、この曲の作曲家から三日間のレッスンも受けた。

ところが、初演の直前に笠置シズ子から「私の持ち歌を歌うことを禁ずる」という通達があって騒ぎになった。日劇側は代役を探す時間もないので、再度交渉してやっと〈「東京ブギウギ」だけは歌ってもいい〉という、笠置の承諾をとった。

しかし、笠置とのトラブルはこれだけでは収まらなかった。翌年の五月、ひばりがハワイ公演に出発する直前に、今度は日本著作権協会から「今後、服部良一作品は一切、歌うことを禁ずる」と通達があった。

この事件について服部は「笠置が何としてもゆずらず、まさか本人がひばりに直接いうわけにもいかないので、作曲家の私が代行した形になった」（『増補・美空ひばり』）という談話を残している。

この騒ぎで、ひばりファンの敵役《かたきやく》になった笠置シズ子の立場からも、少しばかり当時の背景を述べておくと、このころの笠置には不幸な出来事があった。

吉本興業の社名は、明石家さんま、ダウンタウン、桂三枝などのお笑い芸人の顔と一緒に全国区になったが、吉本を一代で築いた女傑・吉本せいは、たった一人の男児がいた。御曹司、吉本頴右《えいすけ》は、とうぜん、後継者として夢を託されていたがＯＳＫ（大阪歌劇団）のスター笠置シズ子と恋に落ちた。

笠置はすでに頴右の子を宿していたが、それでも興行界の尼将軍は息子の恋を断じて許さなかった。母親は本音を語っていないが、「踊り子ふぜいと最愛の息子をそわせるわけにはいかない」という思いがあったという。しかし、笠置シズ子の家系はたかが〈踊り子ふぜい〉ではない。祖父も人に知られた漢学者だったが、父は元東大総長・南原繁の後輩でもあった。

せいと笠置の確執は思いがけない結末になった。もともと病弱だった頴右が、昭和二十二年五月、肺結核であっけなく死んだ。笠置はそのご、女の子を出産したが、父の名を一字とってエイ子と名付けた。

吉本せいのいじめのあった背景から、笠置シズ子の〈ひばり苛め〉を弁護するつもりはないが、このころの笠置はさまざまな心労にたえ、顛右の遺児を抱えて必死に生きていた。

当時の風向きは、大人げない笠置シズ子の不利に働くように見えたが、メディアの対応は、けして少女歌手に同情的だったわけではない。詩人のサトウハチローまでが、『東京タイムス』（1950.1.23）紙上で、ひばりの歌を「ものまねのゲテモノ」とまで書いて、笠置シズ子の援護にまわった。

♬ ひばりのレコーディング伝説

ヒット商品が生まれれば、すぐに類似商品がマーケットに現れる。こうした後追い企画は音楽業界もおなじだが、美空ひかり、青空ひばり、美空小ひばりなどの少女歌手が出現した。ひばりの天才を信じていたら、誰も後を追いかけようとはしなかっただろう。同じ土壌から二人の天才が生まれる確率は、かぎりなく小さいからだ。

美空ひばりのレコーディングはいまや伝説になっているが、それほど、いつの時代もスタッフを驚かせている。

ひばりの歴代のディレクターの中で権威をもって、対等にひばり親子と話しあえたのは、馬渕玄三ただ一人だった。五木寛之のベストセラー『艶歌』『海峡物語』に登場する辣腕ディレクター、「演歌の竜」こと高円寺竜三のモデルは馬渕だった。その馬渕も、美空ひばりだけは別格だったことを認めている。レコーディング前夜にわたした六曲は「各曲の間に10分ずつ、休憩を取っても二時間もあれば十分だった。」と語っている。

この当時はまだSPレコードの時代で、バックのオーケストラは同時録音で進行している。美空ひばりの歌にミスがないのは分かっているので、ミュージシャンたちもミキサーも、自分の間違いでNGになったら大変だと、異常に緊張していた。

「〈楽しみながらも、緊張感を維持する〉あれは彼女を核にして生まれた理想的な創作現場だったと思う。」（『「演歌の竜」と歌謡群像』）

ひばり担当のエンジニアとして、もっとも長かったのはコロムビアの林正夫だった。

林はテストを含めた3テイクを録っておいて、ディレクターと相談しながら最高の状態に編集していた。ひばりは一気に3テイクを歌うので編集があっても、声の質が変わることもなかった。時代がマルチ録音になってテープレコーダーが2トラックから48トラックになっても、美空ひばりにとっては、歌の精度に関係のない進歩だった。何チャンネルも使って、つぎはぎしたモザイクのような歌は、美空ひばりにとっては歌ではなかった。

レイ・チャールズもレコーディングで三回だけ歌って、後は勝手にその中から選んでくれと言って帰ったそうだ。美空ひばりのレコーディングも、午前十時からはじまって昼一時間の休憩を取るだけで、まだ陽が落ちる前にアルバム一枚の収録が終わっていた。

♪

ひばりが二十年代後半に録音した英語のジャズ・ソングは、音楽評論家さえ、びっくりさせた。

「その『A列車』もノリの良さがすばらしくて気に入ったが、ぼくが断然びっくりさせられたのは『上海』の方だ。この驚きはちょっと忘れられない」（『別冊 MUSIC MAGAZINE』1986・6・30「聞かれた歌謡歌手としてのひばり」田中勝則）

身近な家族の証言からひばりが決して人には見せない姿をのぞいてみると、英語のレッスンを全く受けていない美空ひばりが、ジャズ・ソングに挑んだ方法は、ただ驚くばかりだ。

ある日、ひばりは妹、勢津子の前に両手で抱えるくらいのEPレコード（シングル盤）を持って現れ、「これ全部、憶えるの」と、こともなげに言ってから一枚目のレコードに針を落とした。

「恋人よ我に帰れ」「慕情」「A列車で行こう」「ペーパー・ムーン」「月光値千金」、こんな曲をつぎつぎと聴きながら、譜面の音符にそろえて英語詞にカタカナでルビをふる。一曲の歌詞をカナに移しかえるだけで二、三十回レコードをかける。その作業を終えてからようやく歌いだす。

「一曲の練習を簡単に中止することはありません。一曲につき何百回と練習を繰り返しました。それこそ気が遠くなるような行為に対して、厳とした姿勢を最後まで崩しませんでした。その姿には一種鬼気迫るものが宿ったように見えました」（『姉・美空ひばりの遺言』）

♬スターの権威の構造

ひばりの死後、氾濫したひばり論やインサイド・ストーリーものも、1971年に出版された『ひばり自伝』までが、天才らしい激しい個性を感じさせない。ひばりのデビューからの軌跡を追えば、だれもが母親の存在にたどりついてしまう。

デビュー以来、美空ひばりの一部でもある、もう一人のひばりが、たぐいまれなバイタリティーでマスコミと戦い、芸能界と戦っていた。加藤喜美枝は、牙をむき、泥をかぶる。だから、この美空ひばりの分身は充分、生臭いキャラクターの持ち主でもあった。それだけに、母親の庇護のもとにいたスター美空ひばりは、けして個性的な存在とはいえなかった。

母親を失ったあとの美空ひばりの変身は、母親を飲み込んだ共存以外の何物でもない。

戦後「暴力取締対策要綱」を警視庁がまとめたのは昭和三十九年一月だったが、本格的な取り締まりがはじまり、山口組系の神戸芸能が解散に追い込まれた。それでも「ひばりプロ」の会長には、堂々と山口組三代目、田岡一雄組長が就任していた。

暴力団と芸能界との関係が社会的な非難を浴びて、やがて「ひばりプロ」を追いつめるまで、加藤喜美枝はまるで無頓着だった。

美空ひばりの収益は「レコード、映画、中央の劇場公演、地方公演などで稼ぎ出されていたが、この中で、もっとも収益率が高かったのは、何と言っても地方公演だった。地方公演の五日分は、中央の劇場のちょうど一ヶ月分にあたった」（『お嬢…ごめん。誰も知らない美空ひばり』）

この地方公演はとうぜん山口組との関係の上に成り立って、うるおっていた。

こうしたひばりプロの混乱の中で、弟の加藤哲也が拳銃の不法所持で逮捕された。その日のことだった。

哲也が経営していたナイト・クラブで、パーティーが開かれていた。そのときの「一瞬魂の凍る光景」を竹中労が見ていた。

「その夜の彼女はつかれたように歌いすさんだ。田岡一雄組長の息子も招待されていて、ご愛嬌にひばりの歌をうたった。『花笠街道』だったと思う、歌詞に詰まって立ち往生した。するとひばりは叫んだのだ、「ヘッタクソ！指を詰めろ」。

一瞬、魂の凍る光景であった。単なる野次では済まない別の意味が、その絶叫には込められていたからである。（中略）美空ひばりを語るとき、やくざ・任侠の世界との関わりを避けることはできない。そしてそれはなべて芸能者、芸能界の現実であり宿命なのである。」(『増補・美空ひばり』)

1970年代以降、フォーク、ロックの人気と並走して地方のイベンターが台頭した。竹中労の芸能者、芸能界の宿命論は、そうした演歌以外の音楽活動ではアナクロニズムになってしまうが、このエピソードは美空ひばりの音楽活動とは、けして切り離せない現実だった。

♪

魚屋のおかみさんだった加藤喜美枝は、夫の反対を押し切ってまでも、美空和枝と美空楽団をつくり芸能界に打って出た。その無謀さは娘の才能を信じたというより、自分の胎内で育ったひばりと、自分自身の確信との一体性を感じてしまう。天才を育てるためには、周囲に犠牲を強いることがあっても仕方がない。その対象があるときは家族でもあった。

妹の勢津子は、美空ひばりがスターになったころから、家族の崩壊を感じていた。

「この時代からやがて、私たち家族が離れて行くきっかけにもなったのです」

父親と妹は「なにか家庭という感じではなくて、居候をしているふたり、というような状態でした」（『姉・美空ひばりと私』）

『ひばり自伝』に書かれている晩年の父親は、白い手袋をして高級車に乗って、横浜伊勢崎町あたりをひとりでドライブしている孤独な姿だった。

加藤喜美枝が家族の犠牲の上に築いた「美空ひばり」の権威は、ひとりの女にかえったときは、孤独をそだてる高い壁にもなっていた。

私だって人間だもの　さびしい時だってあるさ
悲しくって大声で叫びたい時だってある
しかしそれは私には許されない
なぜって私は「ひばり」だから
いつも私は一人ぼっちだ
（マガジン・ハウス『鳩よ！』〈心の窓〉）

◆昭和三十八年二月、父・加藤増吉、肺結核で死去。
「長い年月、妻とも一緒に暮らせずに、私を理解し、そして妻を尊敬してじっと待っていたお父さん。今は病床に倒れ、横浜の病院に入ったきり、娘の顔もほとんど見ることができないのを気の毒に思う、というより、父から妻を奪った私は、心からお詫びを言いたい気持ちでいっぱいです。」〈〈小林旭と結婚したとき、入院中の父・増吉に送った手紙〉〉／『川の流れのように』）
◆昭和三十九年、小林旭と離婚。
「私自身が決めたことです。私、人形ではありません。」（離婚記者会見）
◆昭和五十六年七月、母・加藤喜美枝、転移性脳腫瘍のため死去。奇しくも山口組三代目・田岡一雄の死の六日後だった。
◆昭和五十八年十月、弟・加藤哲也、心不全で死去。
◆昭和六十一年四月、弟・香山武彦、急性心不全で死去。
ひばりの酒量が多くなったのは離婚してからで、あいつぐ母と弟たちの死でますますエスカレートしていった。

「一時二時になっても、平気で飲み続けていた。私が体に毒だから、と見かねて注意すると。

『眠られたら寝るわよ。眠れないんだからしょうがないじゃないの』

と、青い顔でにらんだ。」（『お嬢…ごめん。／誰も知らない美空ひばり』）

「むせかえるほどの七味唐辛子をまぶし、ノリでくるんだ焼きおむすびを肴に、ナポレオンのコーラ割を浴びるように飲んでいた。（中略）鳥肌の立つ飲みっぷりだった」（竹中労）

昭和六十二年四月、初めて済生会福岡総合病院に担ぎ込まれたとき、小川滋院長は、「慢性肝炎ではなく、すでに肝硬変です」と診断している。死後発表された間質性肺炎という病名よりも、ひばりの命を縮めた元凶は、ひばりの孤独を癒す唯一の伴侶だった、数限りない「ナポレオン」だったはずだ。

美空ひばりが日本コロムビア本社にやってくると、文芸部長以下のスタッフが玄関で並んで出迎えた。この慣例は一メーカーを超越して、レコード界における美空ひばりの地位を顕示する儀式のようなものだった。

1949年（昭和二十四年）のデビュー以来、同じメーカーに所属して四十年間もスターの座にすわりつづけた記録は、欧米にも例を見ない。

ひばりの命日、平成元年六月二十四日から、平成八年六月までの七年間だけで、美空ひばり関連のCD売上は百二十億円を超えている。ひばりが日本コロムビアにもたらした生涯の売上は、半世紀近い時間をさかのぼって貨幣価値を換算しなければならない。それでも日本コロムビアの営業部はあくまでも概算として数字を示してくれたが、その総額は千五百億円に達していた。

美空ひばりが映画界に残した功績も忘れることはできない。

「戦後日本映画の黄金時代が、まさに彼女の絶頂期でもあった。出演作品は百五十七本あまり。おそらく破られることのない記録です。」

（「日本にもミュージカルがあった」白井佳夫　『週刊文春』1989.7.6）

♬ 美空ひばりと昭和の死

葬儀御会葬御礼

順天堂大学病院において美空ひばり死去。平成元年六月二十四日午前零時二十八分。

病名　　間質性肺炎による呼吸不全。

仮通夜　六月二十四日　青葉台自宅。

通夜　　六月二十五日　青葉台自宅。

　　　　弔問客　　　　芸能人、マスコミ関係者二千名。

密葬　　六月二十六日

午後一時～二時　一般弔問　約六百名。

火葬　六月二十六日　〈火葬場　桐ケ谷斎場〉　関係者二千名。

本葬　七月二十二日　午後一時〈青山斎場〉

参列者四万名。一般弔問のために、駐車場に祭壇がつくられたが、七月二十一日　午後二時頃には、三重県からのファンなど数百人が青山斎場前に並んだ。

七大都市『お別れの会』札幌、仙台、名古屋、大阪、広島、福岡、高松。

参列者計三万名。

全国参列者計　約七万二千名。

美空ひばりの本葬はＴＢＳ系列全国ネットで午後一時から二時に生中継され、テレビ、ラジオ全局が録画、録音で報道した。

ひばりの死は全国紙の第一面のトップ記事となったが、芸能人の死を全国紙が一面のトップで取り上げたのは美空ひばりが初めてだった。

美空ひばりの死は、ひばりのヒット曲を昭和の節目のように記憶している多くの日本人にとっては、昭和の死でもあった。旅先の福岡で昭和天皇の「大葬の礼」をテレビで見ていた美空ひばりは、天皇の柩を乗せた車の葬列が動き出すと、急にテレビのまえで居住まいを正してじっと手をあわせてから、「わたし、このひと好きよ」と、ぽつんと言った。（『美空ひばり最後の795日』）

美空ひばりはとうとう昭和天皇に会えなかった。とうぜん招待されていいはずの国民的な歌手であっても、暴力団組織との癒着が取りざたされていたので、いちども園遊会に招待されなかった。

ビッグ・エッグの「不死鳥コンサート」は、いまでは伝説になったが、その翌年、美空ひばりの全国二十八カ所のツアーが組まれていた。一九八九年二月二日の福岡サンパレス・ホールがスタート地点だったが、昼の公演が終わって緊張感が途切れてから、ひばりは倒れた。

済生会福岡総合病院の医師が駆けつけて点滴をはじめたが、夜の公演はとても無理だと言った。それでも、ひばりは三十分遅れの開演時間になると立ち上がって、全曲歌い切った。

福岡公演をのりこえた最後の気力も、昭和天皇を見送ったあとの小倉で尽きることになる。小倉公演の後で、ヘリコプターで東京まで運ばれて順天堂大学病院に入院した。

それから間もない日だったが、とつぜん、親友の中村メイコの自宅に電話が入った。

「病室で『リンゴ追分』を歌ってみたら、もう最後まで歌えないの」と言って、とうとう涙声になった。

五月二十九日、ひばりは病床に横たわってまま、初めて昭和をまたいで歳をとった。

生涯で最も孤独な五十二歳の誕生日だったが、それからは、たった二十五日しか歳をとらなかった。

supplement

本書の作詞・作曲家と美空ひばり

西條八十　本書に登場する作詞作曲家の中では最もおおくの美空ひばり作品を書いている。もっともヒットした曲は、ひばりのデビュー翌年（昭和26年）の「角兵衛獅子の歌」」（万城目正曲）

古賀政男　美空ひばりは終戦翌年の九歳のとき、ＮＨＫ「素人のど自慢」に出演して「リンゴの唄を歌った。会場の拍手を多かったが、「子供らしくない」の審査員の評価で三つ以上の鐘はならなかった。この時の審査員に古賀政男もいた。古賀の曲はそれほど多く歌っていないが、戦後の古賀の長いスランプの時期に「柔」が大ヒットした。翌年の「悲しい酒」もヒットして、ひばりにとっても、ひさびさにミリオンヒットになったが、この曲は新人歌手（北見沢淳）がレコード化して売れなかった曲を、プライドの高いひばりには伏せてレコーディングしている。

服部良一　笠置シズ子との確執の中で、ひばりに服部作品を歌うことを禁じたこともあって、こじれていたが、プロレスラーの力道山が間に入って和解したことがあった。そのときの産物が昭和26年の「銀ブラ娘」だったが、結局、関係は修復されず、ひばりの服部作品はこの一曲だけになった。しかし、服部の主催した「響友会」の弟子、原六郎が名曲「お祭りマンボ」（原六郎詞・曲・編曲）を書いている。

古関裕而　西條八十、野村俊夫と組んだ曲が何曲かあるが、ひばりに歌としてはほとんど実績を残していない。

藤浦洸　美空ひばりのデビュー曲「河童ブギ」（浅井擧曄曲）を書いてから、そのごも「悲しき口笛」（万城目正曲）「東京キッド」（万城目正曲）などが大ヒットした。作曲の万城目正とともにデビュー当時のひばりに、最も貢献した作詞家。

えぴろーぐ

〈夢織人《ドリームウィーヴァー》たち〉へのファンタジア

こんな夢をみた……。

ぼくは、どこかの駅で切符を買おうとしている。駅の案内所みたいなところで女の事務員にパリ行きのチケットはどこで買うのかと聞いた。中年の小奇麗な、気の強そうな女だ。駅の事務員なのか、トラベラーズの事務員なのかもわからない。

「あなた、態度が悪いわよ。ちゃんとここに書いて出しなさい」

女は口をとがらせて、申込用紙を投げるように渡した。ぼくはあわてて受け取って、名前と住所欄を埋めはじめる。

切符を買うのに、なんでこんなものを書くのだろうと思いつつ……。

西條八十と書いて、東京都千代田区内幸町とコロムビアの住所を書いてわたすと、判を押して返してきた。今度は女の機嫌がなおって親切になる。あの通路を渡りなさいという。

通路の窓から見えるのは夕暮れのマルセイユみたいな港町で。魚市が見える。連絡通路を改札にむかって歩いていると、だれかが落とした魚のすり身みたいなものを踏んづけたあとがあったり、イワシなど魚をぶちまけたものが散乱している。

路地を抜けるとなぜか本屋の中に出てきて、さっきの事務員の女が本を探している。古書店のようにいくつかのブロックに本を積み重ねて、雑然としている。

「あなたの本さがしてるんだけど、ないのよ」、と、女がぼくに言う。

見知らぬ男がはいってきて、「早く行こうよ」女の腕を引っ張っていう。

女は嫌がっている。

「少し待っててよ」と言ってから、もういちど「あなたが書いた『ニッポンのうたのドリームウィーヴァーたち』って、もう発売になってるでしょう。」と、ぼくに訊いた。

「あれは、ぼくが書いたんじゃありませんよ。ぼくのことも、書いてるらしいけど」

「松井須磨子があなたのこと好きだったたって、ほんと」

「バカを言っちゃいけない。時代がちがうよ。島村抱月のまちがいだよ。」

「あんた、そんなウソを言っちゃいけないな」と男が口を出した。

男とぼくは口論になる。

「あんたは、須磨子の歌いっぱい作った中山晋平と仕事してるじゃないか。」

「『東京行進曲』は昭和になってからだよ」

「あの、夢織人だか、ドリームウィーヴァーだったか読むと、あんた、いろんな人と仕事やりすぎだよ。中山晋平、古賀政男、服部良一、古関裕而」

「ぼくはもう失礼する。あんたたちみたいな、わけのわからない人と話してるヒマはないんだ。」

「そうやっていつも逃げるんだ。あんた古関裕而とたくさん軍歌を作って、戦犯だって言われた時も、うまく逃げてるじゃない。」

「こんなくだらない話に付き合ってたら、パリ行きの列車にのりおくれちゃう。エロルドやデュジャルダン、ポール・ヴァレリーだって、みんなぼくを待ってるんだ」

「あなた、なに言ってるの、ここは日本よ。列車で行けるわけないじゃない」

女が目を丸くしていった。

そういわれてみれば、彼女も無礼な男もフランス人ではない。髪も黒々としている。

ぼくは自信がなくなってきた。

本屋を飛び出して、改札口を目指して走っていった。


ちょうど列車がついたところだった。

目の前の車両に飛び乗ると、昭和中期のような古びた感じの車両だった。

「西條さん、やっと間に合ったね」とちょび髭をはやして黒ぶちの眼鏡をかけた男が話しかけてきた。

社内のＢＧＭで「誰か故郷を思わざる」がハモンド・オルガンの演奏で流れてきたので、ぼくは古賀政男だとわかった。

「アメリカからいつ帰ったんですか」

「いやですねえ。この曲は、帰国してから、初めてあなたと一緒に作った歌じゃないですか」

そう言われて、ぼくはまた訳が分からなくなった。

次の駅に停まると、ホームに日の丸の旗を持った人たちがあふれていた。

若い出征兵士たちが乗り込んできて、見送っている人たちの〈勝ってくるぞと勇ましく〉の「露営の歌」の大合唱が聴こえてきた。

隣に座っている公務員みたいなマジメそうな男が、しきりにハンカチで涙をぬぐっていた。

「古関さん、あんたも罪つくりだねえ。こんないい歌を書くから、みんな泣いちゃうんですよ。」

その男の肩に手をおいて、古賀さんが言った。

「ぼくはこの曲より、西條さんと一緒につくった「若鷲の歌」の方が好きなんですけど、こんな光景を見ちゃうとねえ」

古関と呼ばれた男は救いを求めるように、ぼくの顔を見上げた。

列車が動き始めてから、ぼくはやっと古関裕而だとわかった。

「西條さんとの仕事は、ヒットしたのが軍歌ばっかりで申し訳ないと思ってるんです」

次の駅で、出征兵士たちがぞろぞろと降りて行ってから、列車がゆっくりと動き出すと、長い鉄橋を渡った。

・・・この列車は、スチームや電気でうごいていない。ただうごくようにきまっているからうごいているのだ。ごとごと音をたてていると、そうおまえたちは思っているけれども、それはいままで音をたてる汽車にばかりなれているためなのだ。・・・

そんな声がどこからか、きこえてきた。

これって、「銀河鉄道」の〈セロのような声〉じゃないか。とぼくは思った。

☆☆☆

「1970、1970」

そんな連呼する車掌の声がして列車がとまった。

ぼくの隣に座っていた少し背の丸くなった、やせた老人が、ゆっくりと立ち上がった。

そして「これ、いただいていきます」と言って、僕の手から、さっき書いた申込書をなにげなく、すっと抜き取った。そういえば、ぼくはまだ、申込書を持ったままだった。

「みなさん、お世話になりました」

彼は、静かな口調でいってから、古関と古賀さんに小さく手を上げた。

見送るふたりが泣いている。

どこからか、小太りの初老の男が小走りでやってきた。

「西條先生、「蘇州夜曲」は最高でしたよ。西條先生がいなくなっちゃうと、あんな素晴らしい詩を書いてくれる人は、もういないんですよ」

「服部さん、ありがとう」

去りかけている老人はそういって、服部良一の手をしっかり握ってから降りて行った。

列車は、それから三十分ほど走っただろうか。

〈ごとごとごとごとと汽車はきらびやかな燐光の川の岸を進みました。むこうの方の窓を見ると、野原がまるで幻灯のようでした〉

だれかが、目の前の風景を解説しているみたいに、『銀河鉄道』のそんなフレーズが自然に浮かんできた。

「次の駅が昭和の最終駅です。それから先は平成まで止まりませんので、ご注意ください」

そんなアナウンスが聴こえてきた。

僕はウトウトしながら聞いていたが、いつの間にか寝込んでしまった。

急に車内がざわついてきたので、ぼくは目を覚ました。

車両の中は、さっきより込み合ってきて若い人や子供たちもいた。座席はみんな埋まっていて、吊革につかまって立っている人もいた。

「切符を拝見させていただきます」といって赤い帽子の車掌がやってきた。

隣の四人掛けの席に座っていたはずの、古賀さんも古関さんもいなくなって、見知らぬ人たちが座っていた。車掌はそれぞれの切符を見ながら「〈令和〉までですね」と確認していた。

服部さんも一緒に、みんな昭和の最終駅で降りてしまったのだろうか。

列車はもう平成駅から、かなり長い時間を走っていた。

ぼくは西條八十じゃなかったんだ。

そう思うと、急に、抜け殻のようにぼんやりしていた。じゃあいったい、このぼくは誰なんだろう。

セロみたいな声が、また聴こえてきた。

……あなたは著者なのです。だから、だれにでもなれのです……。

僕はその声で目をさました。
ぼんやりした頭の中に、宮沢賢治のこんな詩が、しずかにながれてきた。

ああ友よ
空の雲がたべきれないように
君の行為もたべきれない
ぼくははっきりまなこをひらき
その稲を見てはっきりと云い
あとは電車が来る間
しづかにここに倒れていよう
ぼくたちの
何人も何人もの先輩がみんなしたように
静かにここに倒れて待とう

（「春と修羅」／停留所にてスヰトンを喫す）

参考文献

『抱月のベル・エポック』〈明治文学者と新世紀ヨーロッパ〉岩佐壮四郎著　大修館出版
『滞欧文談〈英国現在の文芸〉』島村抱月著　春陽堂　明治三十七年七月
『島村抱月　人及び文学者として』川副國基著　早稲田大学出版部
『明治文学論集（2）〈水脈のうちそと〉』岡保生著　新典社
『島村抱月』岩町　功著　石見郷土研究懇話会
『西洋音楽と社会』（8）〈後期ロマン派1〉（9）〈後期ロマン派2〉音楽之友社
『史伝 早稲田文学』浅見淵著　新潮社
『抱月全集』島村抱月著 天佑社
『漱石全集』第十四巻〈評論・雑篇〉「坪内博士とハムレット」　岩波書店
『漱石全集』第十六、十七巻〈日記及断片〉岩波書店
『夏目漱石　非西洋の苦悩』平山祐弘著　新潮社
『日本人の西洋発見』ドナルド・キーン著／芳賀徹訳　中公文庫
『ロンドンの夏目漱石』出口保夫著　河出書房新社
『随筆　松井須磨子』川村花菱著　青蛙房
『中山晋平ノートによる抱月・須磨子の恋愛と芸術』小林キジ
『緑の朝〈抱月須磨子の愛と死〉』寄山弘著　光陽出版社

『随筆　腰越帳』〈松井須磨子の臨終〉飯塚友一郎著
『松井須磨子』戸板康二著 文春文庫
『帝国劇場の開幕』嶺 隆著 中公新書
『逍遥選集』（第十二巻）〈島村抱月〉　春陽堂
『坪内逍遙〈文人の世界〉』植田重雄著　恒文社
『坪内逍遥研究』坪内士行著　早稲田大学出版
『物語近代日本女優史』戸板康二著 中央公論社
『雨雀自傳』秋田雨雀著　新評論社
『日本流行歌年表』福田俊二編　彩工社
『中山晋平作品目録・年譜』編者／中山卯郎　豆の樹社
『唄の旅人　中山晋平』和田登著　岩波書店
『父野口雨情〈青春と詩への旅〉』野口存弥著　筑波書淋
『みんなで書いた野口雨情伝』時雨音羽他　金の星社
『野口雨情回想』泉漾太郎著　筑波書林
『定本　野口雨情』（第六巻）【童話・随筆・エッセイ・小品】未来社
『金の船ものがたり』〈童謡を広めた男たち〉小林弘忠著　毎日新聞社
『楠氏研究』藤田精一著　積善社
『日本文壇史9』伊藤整著　講談社
『新・日本文壇史』第一巻　川西政明著　岩波書店

『唄の自叙傳』西條八十著 小山書店
『わが歌と愛の記』西條八十著 白凰社
『西條八十全集／歌謡・民謡』（8）国書刊行会
『西條八十著作目録・年譜』発行・西條八束
『父 西條八十』西條嫩子著 中公文庫
『生誕百年記念 西條八十全集』日本コロムビア株式会社
『NHK 歴史への招待』第21巻〈踊り踊って東京音頭〉日本放送出版協会
『追憶の作家たち』宮田毬栄著 文春新書
『文士と姦通』川西政明著 集英社新書
『メッテル先生』〈朝比奈隆・服部良一の楽父、亡命ウクライナ人指揮者の生涯〉
岡野 弁著 株式会社リットーミュージック
『朝比奈隆 わが回想』朝比奈隆・矢野暢（聞き手） 中公新書
『京大オーケストラ四十年史』京都大学音楽部編 京都大学音楽部
『ぼくの音楽人生』服部良一著 中央文芸社
『なつめろの人々』藤浦洸著 読売新聞社
『私の半自叙伝』蘆原英了著 新宿書店
『自傳 わが心の歌』古賀政男著 展望社
『半生物語／作品研究・古賀政男芸術大観』宮本旅人著 シンフォニー楽譜出版社
『二人の千代子』沢憲一郎著 文園社

『誰か故郷を… 素顔の古賀政男』茂木大輔著 講談社
『評伝古賀政男』菊池清麿著 アテネ出版
『古関裕而物語』斉藤秀隆著 歴史春秋社
『鐘よ、鳴り響け／古関裕而自伝』古関裕而著 主婦の友社
『かぐや姫はどこへ行った』国分義司・ギボンズ京子著
『謎の森に棲む古賀政男』下島哲朗著 講談社
『八方破れ言いたい放題』デック・ミネ著 政界往来社
『「演歌」のススメ』藍川由美著 文春新書
『歌声よひびけ南の空に』藤山一郎著
『あゝ東京行進曲』 結城亮一著 河出書房
『悔いなき命を』岡田嘉子著 廣済堂出版
『有楽町有情』朝日新聞社社会部 朝日新聞社
『オリジナル盤による日本流行歌の歩み』明治・大正・昭和 日本コロムビア
『戦争と流行歌 君死にたもうことなかれ』矢沢 寛著 社会思想社
『流行歌三代物語』高橋掬太郎著 学風書院
『レコード盤と共に』〈明治、大正、昭和のレコード・ディレクターの記録〉川崎 清著
『日本のジャズ史・戦前戦後』内田晃一著 スイング・ジャーナル社
『日蓄〈コロムビア〉三十年史』
『コロムビア五十年史』

『日本ビクター50年史』
『ひばり自伝』　美空ひばり著　草思社
『川の流れのように』　美空ひばり著　集英社
『増補・美空ひばり』竹中　労著　朝日文庫
『姉・美空ひばり』佐藤勢津子著　講談社
『メイド・イン・オキュバイト・ジャパン』小坂一也著　河出書房新社
『姉・美空ひばりの遺言』佐藤勢津子＋小菅宏編　ＫＫベストセラーズ
『美空ひばりの芸術』平岡正明著　文芸春秋
『日本の歌謡曲』田辺明雄著　講談社
『流行り唄の誕生〈漂白芸能民の記憶と現代〉』朝倉喬司著　青弓社
『別冊 MUSIC MAGAZINE／季刊ノイズ』第二号〈特集美空ひばり〉（株）ミュージック・マガジン社
『美空ひばり終章』　読売新聞夕刊　一九八九年・六・二六、二七日

＊写真提供　日本コロムビア株式会社

東洋拓植ビル／『復活』唱歌「カチューシャの唄」／日本コロムビア第一回発売ポスター／西條八十と「かなりあ」の碑／古賀政男と藤山一郎／古関裕而／「船頭可愛や」店頭用スタンド／西條八十と古賀政男／「リンゴの唄」歌本／服部良一と笠置シズ子／美空ひばりと西條八十

❖ 著者紹介　飯塚恆雄

コピーライターを経て、日本コロムビア株式会社の音楽ディレクター、プロデューサーとして多くのヒット曲と話題のアルバムを制作。

退社後、本格的な執筆活動を開始。

主な著書は『カナリア戦史』（愛育社）、『村上春樹の聴き方』（角川文庫）、『ぽぴゅらりてぃーのレッスン』（シンコーミュージック）、『ニッポンのうた漂流記』（河出書房新社）、『レコード・マンの世紀』〈黒船来航から、ひばり絶唱まで〉（愛育社）、小説『ジョバンニに切符をさがして』（愛育出版）、などエッセイストとして日本のポップス史の第一人者。

主な雑誌への寄稿は、「月刊ＰＬＡＹＢＯＹ」「団塊パンチ」「音楽現代」ほか。直木賞候補作『脱出のパスポート』〈赤羽堯著〉文春文庫、『琥珀の迷宮』〈赤羽堯著〉光文社文庫の解説など、幅広い執筆活動を続けている。日本エッセイスト・クラブ会員。

ニッポンのうたの　♪ 夢織り人たち

2020年4月30日
著者―　飯塚恆雄
装丁―　穂積由紀夫
イラスト―　泉　葉
発行人―　伊東英夫
発行所―　株式会社　愛育出版
〒116 - 0014
東京都荒川区東日暮里5 - 5 - 9
TEL: 03-5604-9431
FAX: 03-5604-9430
印刷所　株式会社　大　十
定価　1,600円（税別）

ISBN 978-4-909080-44-8 C0093